Alexis,
en vacances forcées

Série «Alexis»

Yvon Brochu

Alexis,
en vacances forcées!

roman

ÉDITIONS PIERRE TISSEYRE
5757, rue Cypihot, Saint-Laurent , H4S 1X4

Dépôt légal : 3ᵉ trimestre 1990
Bibliothèque nationale du Canada
Bibliothèque nationale du Québec

Illustration de la couverture
et illustrations intérieures :
Daniel Sylvestre

Cartes postales intérieures :
Dan

Données de catalogage avant publication (Canada)

Brochu, Yvon

Alexis, en vacances forcées
Pour les jeunes de 10 à 12 ans

ISBN 2-89051-406-4

I. Titre. II. Collection : Brochu, Yvon. Série Alexis ; 3.

PS8553.R62A83 1990   jC843' .54 C90-096374-3
PS9553.R62A83 1990
PZ23.B76A1 1990

4567890 IML 9876543
10583

À Roland et Pierrette,
de grands amis qui font
partie de mes plus beaux
souvenirs de vacances...

1

Le parc!

D'un pas rapide, je marche vers le parc Saint-Stanislas. C'est l'orage. Il tombe des clous. Pire encore! Des clous éclatent dans ma tête, comme dans notre maison, l'hiver, par un soir de grand froid. Je suis trempé jusqu'aux os! Pourquoi suis-je de si mauvaise humeur ce matin? Parce que mon père est un être de la pire espèce! Un épouvantail à faire fuir tous les moineaux et tous les animaux de la terre. De la plus grosse à la plus petite *bébite*! Un homme des cavernes! Rien à faire, IL EST BOUCHÉ! Bouché comme ces canaux qui refoulent l'eau tellement la pluie tombe dru, ce matin. Ah! si mon père faisait au moins semblant d'écouter ce que je lui dis! Même pas. J'en ai ras-le-bol d'être traité comme un bébé! J'ai tout de même 16 ans. Pratiquement 17. Et, par surcroît, je suis **écrivain**...

— Alexis, c'est pas parce que tu as écrit deux livres* que tu dois te prendre pour le nombril du monde. TU DOIS TRAVAILLER COMME TOUT LE MONDE!

Et bang! Entre deux cuillerées de *Coco Puff*, mon père m'avait donné le coup de grâce. Un vrai monstre de la préhistoire! Jusqu'à la dernière minute, jusqu'au petit déjeuner, juste avant que je parte pour ma première journée de travail, j'avais espéré que mon père change d'idée. J'aurais tellement aimé consacrer mes vacances d'été à l'écriture de mon troisième roman, au lieu de travailler au parc Saint-Stanislas comme aide-moni-

---

* *Alexis, en grande première!* et *Alexis, plonge et compte!*

teur. J'étais naïf: croire que mon père pouvait changer son fusil d'épaule. Tellement naïf que, ce matin-là, j'avais même essayé de discuter:

— Mais papa, si j'écris un 3e *Alexis*, et si, comme je le souhaite, les livres se vendent bien en librai...

— Alexis, *Avec des «si», on va à Paris!*

Ah! Mon père! Durant toute ma jeunesse, il a joué de la maxime comme l'homme des cavernes de la massue:

— Papa, j'ai encore faim!

— *Mange ta main, pis garde l'autre pour demain!*

— Papa, je ne veux pas porter les *jeans* de Christian! Même Martin les a déjà portés!

— Alexis! *L'habit ne fait pas le moine!...* *À cheval donné, on ne regarde pas la bride!*

Alors, tu ne seras pas surpris d'apprendre que je suis **allergique** aux maximes; surtout quand cela vient de mon père.

○

— Maudit, que c'est loin! Je fulmine en faisant gicler l'eau sous mes pieds.

Il me semble avoir marché des kilomètres. Pourtant, depuis l'arrêt d'autobus jusqu'au parc Saint-Stanislas, il y a moins d'un kilomètre. Mais, par ce temps de chien, je déambule comme un funambule: deux pas en avant, un en arrière. Je suis porté par le vent et la pluie qui tourbillonnent. J'ai l'air d'une vieille chaussette flottante emportée vers le premier égout. Je n'ai ni imper, ni parapluie.

— Mets ton imper! m'avait gentiment suggéré maman avant que je quitte la maison.

— Je ne suis pas en chocolat!

— Alexis, apporte au moins un parapl...

BANG! J'étais parti.

BANG! L'orage avait éclaté.

ET BANG! Les fesses dans l'eau! Mon pied a glissé. Je me retrouve assis au beau milieu du trottoir. Quand ça va mal, ça va mal! D'un bond, je sors de la lune et de la marre d'eau. Je tente de garder mon sang froid, tout comme mon

10

équilibre. Je crois savoir pourquoi mon père n'est pas chaud-chaud vis-à-vis de ma carrière d'écrivain: eh oui! dans mes histoires, il n'a pas toujours le beau rôle... ET IL N'EST PAS PRÊT DE L'AVOIR! que je bougonne, crachant l'eau et le fiel, pataugeant plus que jamais dans l'eau, toujours en direction du parc.

«Quelles belles vacances!...» Je vais encore devoir jouer au policier. Au négociateur. Au justicier. Les jeunes ont besoin de lâcher leur fou. Et nous, les moniteurs, nous sommes les garde-fous.

Enfin, au bout de la rue, je distingue la cabane. Je frissonne. J'ai horreur de ce local humide où nous devons entasser les jeunes comme des sardines les journées de pluie. Comme aujourd'hui! «Ah! Que j'aimerais faire le *travail buissonnier*!» Mais, voilà, je n'ai même jamais eu l'audace de faire l'école buissonnière...

Je me sens l'âme d'une poule mouillée. Je regarde ma montre: 8 h 40. Je m'arrête sec: «Je ne suis pas une poule mouillée!» Et, là-dessus, je tourne le coin. Je m'éloigne du parc. Je compte bien utiliser les vingt minutes de liberté qui me restent avant 9 heures. À quoi? Je ne sais trop. Sûrement pas à me faire sécher, en tout cas. Je dégouline de partout. Mais, au moins, je ne marche plus comme un robot. Oh non! Je me pro-mè-ne. Quelle différence! L'an passé, je serais entré directement à la cabane. Pas pour me sauver de la pluie. Non! Par crainte d'être en retard. Peur d'arriver après les jeunes. Peur qu'ils rient de moi, me voyant trempé comme un canard. Plus maintenant! Tout comme l'eau ruisselle sur les trottoirs, une fierté nouvelle ruisselle dans mes veines. J'ai soif de liberté. Et là:

FFFLLLLAAAAKKKK!!!!

Une Suzuki en folie vient de m'arroser. Une vague! Haute comme une vague d'Hawaï! Je ne suis même pas en maudit. Au contraire! Je ris comme un fou. Un fou heureux qui poursuit sa promenade sous l'orage. Je respire à pleins poumons avant d'aller m'encabaner.

Soudain, je me surprends à penser aux vacances d'autrefois. Du temps où je ne travaillais pas. Quand j'étais jeune. J'avais 14 ans...

12

2

VOYAGE AU BOUT DES NERFS!

— **T**u parles d'un maudit temps plate!

— Henri, c'est pas grave.

C'est lundi, le 4 août. Il est 8 h 30.

Valises, sacs, chapeaux de paille, lunettes d'approche et autres bébelles s'entassent pêle-mêle au milieu de la cuisine. Le jour **D** est arrivé! Le jour du grand **D**épart. Mais aussi, le jour du **D**éluge.

— Charlotte, c'est pas une auto que ça prendrait, C'EST UN BATEAU!

— Henri, tu exagères.

Avec mes deux valises en main, je débouche dans la cuisine. Mon père est détrempé. Pourtant, il n'a été dehors que pour reculer l'auto tout près de la porte arrière de la maison. Mon apparition n'améliore pas son humeur. Au contraire! Les yeux gros comme des billes, il fixe mes valises, puis, le reste des bagages.

— Maudit! J'ai une Pony, pas une ARCHE DE NOÉ!

— Henri, on peut en placer sur le siège, en arrière, avec Alexis.

Je me vois déjà pris à faire la conversation avec un immense sac à poubelle rempli de souliers, de pantoufles, de bas, de bobettes, alouette! «Ça s'annonce bien...» que je me dis, tout bas.

— On va faire le tour de la Gaspésie, PAS LE TOUR DU MONDE!

— HENRI, ÇA VA FAIRE, LES ENFANTILLAGES!!!

Je ne sais plus quoi faire de mes valises. Je reste planté là, gêné, attendant de savoir si on part pour la

Gaspésie, l'Australie, l'Italie, en bateau, en avion ou en Pony; ou encore, si on reste ici... Une seule chose m'apparaît claire dans mon esprit:

TOUR DE GASPÉSIE = TOUR DE FORCE

○

Comme un cheveu sur la soupe, bien avant le grand **D**éluge, un soir alors que nous étions tous les cinq à table, mon père nous avait appris la belle et grande nouvelle:

— Les enfants, au mois d'août, on fait le tour de la Gaspésie!

Chacun de nous s'est mis à chercher un cheveu dans sa soupe.

— On dirait que je viens de vous annoncer qu'une bombe est tombée!

La soupe aux pois continuait d'exercer une attraction inhabituelle sur chacun d'entre nous. Même sur maman. À voir sa tête, mon père, contrairement à son habitude, n'avait pas dû la mettre dans le secret des dieux.

15

— BEN QUOI! DITES QUELQUE CHOSE, TOUJOURS!

Martin, mon frère aîné, avait finalement *brisé la soupe*:

— Écoute, papa, j'peux pas partir: je risquerais de perdre mon emploi d'été.

Martin travaillait au cinéma, une journée ou deux par semaine, comme projectionniste. Le reste du temps, il philosophait. Il avait 17 ans et une seule idée en tête: devenir cinéaste. Plus d'une fois, papa lui avait trouvé des *jobines* d'été mieux rémunérées. Mon frère avait toujours refusé.

— Pour moi, papa, prendre le pouls d'une salle de cinéma, c'est aussi important que... QUE MANGER!

J'ai craint, un moment, que Martin ne puisse plus jamais manger de sa vie. Mais non: oh! surprise! Mon père s'est mis, lui aussi, à chercher un cheveu dans sa soupe.

— Moi non plus, papa, je peux pas! proféra Christian, mon autre frère, vite sur ses patins. Mon camp d'entraînement commence le 1er août. Manquer le camp, ça veut dire que je pourrais tomber du **AA** au **CC**! Ou même au **B**!

Mon père ne cessait de fixer sa soupe aux pois, tandis que notre démon-blond-maison avait tôt fait de conclure:

— Ce serait stupide, hein, papa, que je ruine ma carrière pour un voyage en Gaspésie?

Les pois dans la soupe de mon père ont failli éclater, sous l'intensité de son regard.

Pourtant, il n'y eut pas d'explosion. Ce fut pire! Sans mot dire, mon père a pris sa cuiller et il a avalé toute sa soupe: LE CHEVEU Y COMPRIS!

«Moi non plus, j'peux pas!» j'aurais alors aimé clamer à haute voix. Mais voilà! Plutôt que de jeter de l'huile sur le feu, j'avais fait comme à l'habitude: RIEN!

À la suite de cette *fameuse-soupe-aux-pois-maison*, il avait fallu à maman deux jours pour refroidir la marmite bouillante qu'était devenu papa. Ma mère avait tant et si bien manœuvré que, quarante-huit heures plus tard, au petit déjeuner, mon père avait retrouvé sa bonne humeur. Ce qui n'était pas sans m'inquiéter.

Encore une fois, entre deux cuillerées de *Coco Puff*, il nous a alors déclaré, avec un grand sourire:

— Les enfants, c'est décidé: au mois d'août, on fait le tour de la Gaspésie, EN FAMILLE!

Catastrophés, mes frères et moi avons subitement cessé de manger nos céréales.

Mon père a renchéri:

— Nous allons faire un voyage du tonnerre; moi, votre mère et Alexis.

Mes frères se sont remis à manger.

Moi, je me suis mis à chercher un cheveu dans mes céréales...

○

— GROUILLE, ALEXIS! GROUILLE!

Papa crie, maman tient le parapluie et moi, depuis plusieurs minutes, je fais la navette entre la cuisine et l'auto. Je commence à être du même avis que mon père: des bagages, il y en a trop! Je suis trempé et à bout de souffle. Je commence même à avoir hâte de partir en vacances.

18

La langue pendue jusqu'à terre, j'agrippe le dernier sac. Quatre enjambées, me voilà près du coffre de l'auto. Mon père saisit le sac. Il n'y a plus un centimètre de libre dans le coffre. Papa a décidé qu'il allait le ranger. Un vrai magicien! Pousse ceci, tasse cela, change ceci pour cela, et cela pour ceci... bref, un vrai tour de force. Rendons à César ce qui appartient à César: la Pony a tout de même un grand coffre.

— Et voilà! lance mon père, avec fierté.

Papa sourit presque. Maman respire le bonheur. Ce qui s'annonçait comme un début de voyage catastrophique semble maintenant se transformer en un départ de vacances très prometteur.

— Ah! Misère...

— Quoi? Charlotte.

— Les chaises pliantes!...

○

— Papa? Tu peux mettre des bagages sur le siège arrière. Ça me dérange pas...

J'ai le bras mort. J'ai pris la relève de maman. Je tiens le parapluie. Depuis plus de quinze minutes! Papa s'entête; il ne veut pas plier pour deux minables chaises pliantes. Il a ressorti tous les bagages. Deux fois! Il range à nouveau. Il n'a plus la touche du magicien, même s'il continue à hurler d'étranges formules magiques. Formules que je ne révélerai pas, de peur qu'un prof, ou qui sais-je? fasse disparaître de tes mains mon roman. Si tu vois ce que je veux dire? Papa a l'air d'un apprenti plombier qui, après avoir remonté un lavabo à quelques reprises, se retrouve toujours avec quelques tuyaux en trop.

Croyant avoir un bon tuyau à lui donner, je rapplique:

— Papa, ça ne me dérange pas du tout de...

— ALEXIS, SACRE-MOI PATIENCE!

Mon père me lance un regard foudroyant. Ses yeux sont plus menaçants que le temps lui-même. Tellement que j'ai le sentiment de tenir dans la main non plus un parapluie mais un paratonnerre.

— Mon p'tit gars, tu sauras que quand on veut, on... AYOYE! BÂTARD!!!

Eh oui! Le derrière de la tête de mon père vient de heurter le hayon du coffre. Il a la tête dure, notre magicien.

○

Oh! Bonheur. Enfin, tout est empilé, cordé, enfoncé dans le coffre.

— Bon! Alexis, avant que je le ferme, demande à maman si on a oublié quelque chose?

Les doigts écorchés, une bosse sur la tête, mon père a tout de même gagné son combat.

— J'ai regardé partout. J'ai pensé à tout, tout, tout. Cette fois, tout y est, papa!

«Maman qui appelle papa, papa.» Je n'en reviens pas. Je passe le parapluie à maman. Je vais prendre place dans notre limousine. Je suis soulagé: je vais avoir de l'espace pour m'étendre les jambes. Peut-être même faire un petit somme. C'est loin... la Gaspésie!

BANG!...

BANG! BANG! BANG!...

BANG! BANG! BANG! BANG! BANG!

— HENRI! ARRÊTE!!! Tu vas tout casser! Tu vois bien que ça ferme pas!

Quelques instants plus tard, je fais la conversation à des souliers, des pantoufles, des bas, des bobettes, alouette! Sur le siège arrière, pris en sandwich entre deux immenses sacs à poubelle, les frères Glad, je me sens comme un déchet de la société.

Mon père tourne la clef du moteur:

TOUSSOTTEMENT.

— C'est rien qu'un peu d'humidité, dit maman regardant droit devant.

Papa essaie à nouveau:

GROSSE TOUX!

Mon père joue du pied et maman de psychologie:

— Avec le déluge qu'on a, c'est normal, Hen...

VROUMMM!...

VROUMMM! VROUMMM!...

VROUMMMMMMMMMMMMMMMM

MMMMMM.......

C'est l'euphorie!

Les bobettes sautent de joie (j'ai accroché un sac); mon père desserre les freins et maman les dents:

— Henri... *quand on veut, on peut!*

Malgré tout, malgré les quelques ratés, **c'est un départ**.

○

♪ *Juliette, Françoise ou Simone...*
La Pony galope vers Tadoussac.

Pour faire plaisir à maman, papa avait accepté de commencer notre voyage en passant deux jours à l'Hôtel Tadoussac, endroit que des amies de maman lui avaient fortement recommandé. Mes parents ont prévu traverser le fleuve, des Escoumins jusqu'à Trois-Pistoles. Et de là, remonter la côte jusqu'à Cap-Chat, pour enfin entreprendre le tour de la Gaspésie. Tout un voyage...

Quelque soit le nom qu'on leur donne...
Nous venons seulement d'amorcer notre périple en famille que déjà j'ai le sentiment qu'il y a une éternité que

nous avons quitté la maison. La Pony a beau filer à vive allure, nous sommes encore loin de notre première destination: Tadoussac.

À l'horizon: Sainte-Anne-de-Beaupré.

Qu'elles soient p'tites ou grandes, cheveux raides ou frisés...

Depuis notre fameux départ, la radio-cassettes ne joue que de la chanson française. Un flot continu de paroles sur fond de casseroles. Mes parents voyagent dans le passé. Moi, je *badtrippe!*

J'ai toutes envie de les embrasser!

Et moi, j'ai envie de tout CASSER!

Foi d'Alexis: je n'en peux plus! Et pas moyen de faire jouer une seule de mes cassettes: chaque fois que je fais une suggestion, mon père crie: «Ta musique, c'est du criage!»

Jusqu'à présent, j'ai pris mon mal en patience. Surtout pour faire plaisir à maman. Elle semble tellement contente de voir papa de bonne humeur. Alors, je n'ai pas voulu insister.

Mais, là, je n'en peux plus! J'ai la tête lourde et grosse comme une *balloune* qu'on remplit d'eau et qui va crever d'un moment à l'autre. Non! Ne va pas croire

24

que je n'aime pas la chanson française. Oh non: J'HAÏS ÇA!!! Mais je m'HAÏS encore plus! Tu sais pourquoi? Eh oui: j'ai un baladeur. Un très, très bon, à part ça! Et tu sais quoi? OUI! MAUDIT! Il est resté dans le coffre de la voiture. Au fond! Tout ce qu'il y a de plus profond: près de la roue de secours. Tantôt, pendant une seconde, j'ai pensé demander à mon père s'il serait assez gentil, assez fin, assez aimable, d'arrêter et de me le sortir. Je me suis trouvé assez fou, assez épais, assez nono, de croire à un miracle pareil, qu'un quart de seconde plus tard, j'avais déjà éliminé de ma pensée cette idée folle.

Pourtant, dans quelques secondes à peine, nous allons passer juste à côté de la basilique de Sainte-Anne-de-Beaupré. Cette sainte est vénérée à travers le monde. On m'a dit qu'elle a déjà fait plein de miracles. Alors, pourquoi pas un miracle de plus pour moi, Alexis, le plus malheureux des malheureux?

— Euh... pa... pa... papa?

Mais, hélas! que Dieu me pardonne

— Quoi? Alexis!

Mon cœur n'appartient à personne

25

— Euh... me rendrais-tu un grand service?

Mon cœur il est fou...

Le mien aussi.

... il tétonne...

Le mien pèse une tonne!

... il juponne...

— Papa, pourrais-tu arrêter? J'aimerais avoir mon *walkman*. Il est dans le coffre.

La Pony s'immobilise.

... il bracon-on-on-on-onne!

Non, non, non: ne crie pas au miracle, tout de suite. Si l'auto s'est arrêtée, c'est seulement à cause des feux de signalisation qui se trouvent à l'intersection du boulevard principal, qui traverse la ville de Sainte-Anne-de-Beaupré, et de la rue qui mène à la basilique. La lumière est passée au rouge. Rien de plus!

Mon père se retourne vers moi:

— Alexis, tu ne vas pas nous faire le coup du *walkman*?

Oh! Surprise! Papa n'a pas gueulé après moi. Cependant, son expression ne me rassure guère. Il a les yeux d'un chien qui réclame le croûton de pain que tu t'apprêtes à manger. Rien qu'un morceau! Un seul petit-petit-petit morceau ferait l'affaire. Un regard à t'arracher le cœur.

— Alexis, tu sais à quel point je tiens à ce qu'on fasse ce voyage ensemble, tous les trois: EN FA-MIL-LE?

Un regard qui joue sur les sentiments...

J'hésite entre lui donner mon croûton ou une leçon: après tout, papa écoute **sa** musique depuis le départ; si c'est ça voyager *en famille...*

— Henri, faut comprendre Alexis: ta musique, comme la mienne, c'est pas très, très intéressant pour lui.

Ah! Ma mère!... Autant mon père est toujours *à côté de la trac*, autant elle et moi sommes toujours ou presque sur la même longueur d'ondes.

Et là!...

La Pony se trouve brusquement illuminée. Une percée de soleil inonde notre voiture, alors que le temps continue d'être orageux. Est-ce le fruit de mon imagination? Pourtant, non. Je suis renversé. Estomaqué! Est-ce là le présage d'un... je n'ose dire le mot! Ni même le penser vraiment. Mais, pourtant, je réalise que mon père n'a pas répondu du tac-au-tac à ma mère, comme à son habitude. Je retiens mon souffle. Papa demeure silencieux. J'attends le dénouement... religieusement.

— Bon: OK! fait papa.

«Un miracle! Un miracle! Un miracle!» je crie à tout rompre... dans ma tête. Mon père enlève **sa** cassette. Je n'en crois pas mes yeux. Il ne va pas me donner mon baladeur, mais il va faire jouer **ma** musique. Je m'empresse de donner à maman la cassette de *New kids on the Block*.

Et là!...

Juste avant que la main de ma mère n'atteigne la radio-cassettes, oh! horreur! la voix du grand scout qu'était jadis mon père, résonne dans l'auto:

V'là l'bon vent! V'là l'joli vent!
V'là l'bon vent! ma mie m'appelle.

La Pony reprend sa course de plus belle.

V'là l'bon vent! V'là l'joli vent!
V'là l'bon vent! ma mie m'attend.

Désespéré, je regarde maman.

Désespérée, maman regarde papa. Puis, elle se tourne vers moi: «Alexis, ton père a tellement l'air heureux...», me disent ses yeux, me suppliant de comprendre encore une fois.

Derrière chez nous, y'a un étang ♪♪♪♩♩

Enthousiaste comme un enfant, mon père attend que nous entrions dans le jeu de cette chanson à répondre:

Derrière chez nous... entonne maman.

... Y'a un étang... je lui réponds.

Derrière nous: Sainte-Anne-de-Beaupré... qui doit bien rire dans sa... basilique.

○

Valderiiiiiii ♩♩♩♩

Depuis une heure, nous chantons en chœur.

Valderaaaaaaa ♩ re-re-re-claironne la voix de papa.

J'ai mal aux cordes vocales. Imagine-toi la voix de la Castafiore qui entre à l'extrémité d'une centaine de boîtes de soupe aux tomates vides, raboutées les unes aux autres, et ce qui en ressort à l'autre bout... eh bien, voilà le genre d'horreur qui jaillit de ma propre bouche.

Valderaaaa...

J'ai la voix en compote! LES NERFS ITOU!

Depuis Sainte-Anne-de-Beaupré, mon père n'a pas lâché une seconde: *Feu, feu, joli feu, Quand j'étais un tout petit garçon, Sur le grand mât d'une corvette, Alouette*; faire le tour de la Gaspésie, cela voulait dire pour moi, avant de partir, un voyage au bout de la terre. Maintenant, cela signifie un voyage au bout des nerfs.

Il ne manque plus qu'un petit feu et les guimauves dans l'automobile pour transformer la Pony en véritable campement mobile. Je sens que ma voix va me lâcher d'un moment à l'autre. Celle de mon père, au contraire, semble se renforcer d'une chanson à l'autre. Or, mon père a une grande gueule, mais il n'a pas une grande voix, si tu vois ce que je veux dire? Son timbre de voix s'apparente davantage au beuglement d'un bœuf en *titi*, qu'à Pavarotti, si tu entends ce que je veux dire?

VALDERAAAAA... VALDERIIIII..
— HENRI?

VALDERAAAAA... ♪♪VALDERIIIII...♪
— HENRI?

Je remarque le visage de maman: il est tout blanc. Blanc comme les nuages qui nous enveloppent, maintenant. Nous descendons vers Baie-Saint-Paul. Notre auto vogue dans les bancs de brume au rythme endiablé de...

VALDERAAA-HA! ♪ HA!♪ HA!...♪ HA! HA! HA! ♯♯♪

— HENRI? MAUDIT! RALENTIS!

Grâce à ma mère, je réalise soudain que les folies vocales de notre Pavarotti sont bien moins dangereuses que les folies de notre Andretti au volant de sa redoutable Ponyti.

— Qu'est-ce qu'il y a Charlotte?

— RALENTIS! ON VOIT RIEN!

— ... Voyons, Charlotte...

«Ça y est», que je me dis, me préparant à un tout autre genre de concert. J'ai beau avoir assisté à des dizaines et des dizaines de disputes entre mon père et ma mère, je ne m'y habitue pas. À tout prendre, je préférerais de beaucoup entendre beugler pendant une autre heure le bœuf *en titi* que de voir mes parents se prendre aux cheveux, une fois de plus. Si tu ressens ce que je veux dire...

Et là!

Doux comme un mouton, mon père répond:

— Je m'excuse, mon pitou.

Je n'en crois pas mes oreilles.

La Pony ralentit, ma mère reprend des couleurs et moi, je pense perdre connaissance lorsque j'entends papa ajouter:

— Charlotte, tu devrais conduire à ma place.

Maman se pince pour voir si elle ne rêve pas et moi je conclus: vaut mieux prendre des vacances que des billets de loto parce que... DES VACANCES, ÇA CHANGE LE MONDE!

○

Maintenant la brume se lève et la Pony s'élève en direction du fleuve; à droite et derrière nous: Baie-Saint-Paul.

— Avec ma *chauffeuse* privée, lance mon père, je me sens comme un pacha.

— ... on est trop jeunes Alexis pour vivre comme nos parents. Tu comprends?

Non, je ne comprenais pas. J'étais atterré, bien décidé à demander au médecin de me plâtrer de la tête aux pieds. Comment vivre sans Julie? Et là!

Oh! Bonheur!

— Alexis, j'aimerais qu'on soit **ami-amie**.

Tout n'était donc pas terminé. Quelle frousse j'avais eue.

Depuis – UN CERTAIN MARDI... 26 JUIN, À 14 HEURES, 32 MINUTES, 22 SECONDES — Julie m'a souvent répété qu'elle était mon amie pour la vie. Moi, ça me suffit. Parce que lorsque j'aurai 20, 30, 40, et 50 ans, Julie aura 21, 31, 41, 51 et je doute que ses amies lui parlent encore de mon âge comme d'un handicap...

○

— Oh! Alexis, regarde à droite comme c'est beau le fleuve!

35

— BÂTARD! CHARLOTTE, REGARDE EN AVANT, ON VA TOMBER DANS LE FLEUVE!

Chassez le naturel, il revient au galop. En Pony. Papa n'en peut plus. Il regrette déjà d'avoir laissé le volant à maman. Comme toujours, il a une peur bleue quand elle conduit. Maman est meilleure conductrice que papa, à mon avis; cependant, je ne crois pas que mon père, en ce moment, veuille connaître mon avis. Ni celui de personne d'autre, d'ailleurs.

Comme d'habitude, maman laisse papa à ses angoisses de mâle en voie d'extinction, comme elle dit souvent pour le taquiner, et elle continue d'admirer le paysage qui défile tout autour de la Pony.

— OHHH!!! Regarde, Alexis, regarde!!!

En pâmoison, maman pointe maintenant le doigt vers la gauche et papa recommence à se ronger les ongles, fixant la route.

— Que c'est beau! Que c'est beau!!! ne cesse de répéter maman, espérant sans doute que je m'extasie avec elle, comme j'avais chanté avec mon père un peu plus tôt.

36

MAIS TROP, C'EST TROP! Le fleuve? Passe... Les montagnes? Passe... Un champ de blé, de trèfle ou de boutons d'or? Passe encore... Mais des vaches! TOUT DE MÊME! Moi, en voyage, ce que j'aime voir, ce sont des villes avec des immenses buildings et des rues bondées de monde de toutes les nationalités: des Grecs, des Italiens, des Chinois. Et maman qui veut que je m'émerveille pour des Ayrchires, des Holsteins et des Jerseys de Baie-Saint-Paul qui broutent leur croûte au bord de la route!

Et quand je pense que j'en ai encore pour dix jours à regarder le fleuve, les montagnes, les champs et... MEUHHHHHH!!!!!, je gémis jusqu'au plus profond de mes entrailles.

○

— Des caribous?

Mon père a les yeux ronds comme des trente sous; ceux de ma mère sont un peu plus fermés, même s'ils semblent faire la moue. La jeune hôtesse du stand d'information touristique situé tout juste à la sortie du village Les Éboulements sourit à mon père:

— Oui, monsieur: des caribous! Ils viennent tout près; même que parfois, vous pouvez leur donner à manger.

— NON???

Dehors, il fait maintenant soleil. Le village surplombe le fleuve. Au loin, l'Île-aux-Coudres. Ce n'est pas la Tour du CN, ni la Statue de la Liberté, encore moins la Tour Eiffel, mais je dois le reconnaître: la vue est superbe. Maman n'a pas tout à fait tort de dire que la nature, c'est beau.

— Henri, laisse faire.

— Oui mais, Charlotte, le parc des Grands Jardins c'est pas loin.

Si l'hôtesse garde son joli sourire, il n'en va pas de même pour les touristes qui attendent pour obtenir des renseignements.

— Henri, on n'a pas le temps!

Moi, un peu à l'écart, je prends le temps d'écrire à Julie:

POINTE-AU-PIC — HIVER
CHARLEVOIX, QUÉBEC, CANADA

Lundi 4 Août

Chère Julie,

C'est fou comme je m'ennuie
de toi !

Il n'y a qu'avec toi qu'un si
long voyage pourrait
passer trop vite. Mes yeux
regardent le fleuve et
c'est ton visage qui miroite
dans l'eau. Si tu savais comme
j'ai hâte de te revoir ! Je compte
déjà les heures, les minutes...

en vacances « forcées »

Alexis, ton ami pour la vie xxxxxx

Julie DESCHAMPS

1348, des TOURELLES

LES SAULES QUÉ.

G1R 1K5

— Charlotte, des caribous, c'est unique!

—Henri...

— Charlotte, les caribous sont en voie d'extinction.

— Pardon, monsieur, pourriez-vous discuter des caribous un peu plus loin? suggère un gros homme qui attend depuis plusieurs minutes en file indienne.

«Oh! Oh!» Connaissant mon père, je devine qu'il ne sortira pas le calumet de la paix.

— *Toué, baquet...*

— **Henri, dans la Pony!**

Quelques minutes plus tard, dans le silence le plus complet nous descendons à vive allure vers le village de Saint-Irénée. Le chef de notre tribu venait d'être humilié en public par sa squaw. Il ne chante plus; il ne blague plus. Quel soulagement! Mais il a repris le volant. Nous volons, ou presque. Ça, c'est moins rassurant. Le visage pâle de ma mère commence à retrouver la couleur du bouleau blanc. Moi, Œil de Fiston, je ne peux plus résister à la tentation; à mon tour d'envoyer ma propre petite flèche:

— Oh! Papa! Maman! Regardez à droite, le fleuve... COMME C'EST BEAU!

○

— Des crottes de fromage!

Mon père n'avait pu voir des caribous; mais rien au monde, même maman, n'aurait pu l'empêcher de manger SES crottes de fromage de Saint-Fidèle. «ON ARRÊTE ICITTE!» Icitte étant la petite fromagerie du village de Saint-Fidèle, située tout près de la route qui mène à Tadoussac. De Saint-Irénée, passant par Pointe-au-Pic, La Malbaie jusqu'à la fromagerie, tout comme le temps, le silence avait été au beau fixe.

Mon père et moi nous attendons d'être servis. Un monsieur habillé tout de blanc s'amène derrière le comptoir. Je

42

n'ai qu'une pensée en tête: que les fameuses crottes de fromage de Saint-Fidèle dont papa m'a tant parlé, obtiennent meilleur effet sur lui que Sainte-Anne-de-Beaupré, en lui faisant retrouver sa bonne humeur SANS QU'IL SE REMETTE POUR AUTANT À CHANTER.

— Y'en a plus.

— QUOI???

Et là!

Tandis que mon père vire blanc comme le fromage, moi je tourne rouge comme une tomate:

— *Excuse me?*

Madonna s'adresse à moi. Enfin: une jeune Madonna. Très jeune même. De mon âge à peu près. Déjà que je suis timide avec les filles, là, avec une Anglaise, tu t'imagines mon embarras. J'ai peine à la regarder dans les yeux.

— *You are Alexisssss?*

«Aille! Aille! Aille! AILLE! AILLLE!» D'un coup, mes yeux s'écarquillent. «Elle connaît mon nom!» Je me sens les jambes comme deux fromages à pâte molle, molle molle...

— *You love Julie?*

ALORS LÀ!!! je ne suis plus que *Cheese Wizz*. Je suis convaincu que j'ai devant moi une extra-terrestre, un médium, une sorcière ou Sainte-Anne-de-Beaupré elle-même! Par bonheur, avant que le fromage fondu que je suis devenu ne se répande aux pieds de ce diable ou de cet ange mystérieux, Madonna plaque droit devant mes yeux la carte postale que j'avais écrite pour Julie.

Instinctivement, d'un geste brusque, je récupère la carte que j'avais dû échapper.

— Tou es... pas fâché... Alexisss?

Je reste bouche bée. Elle, elle, elle parle français. Comme, comme, comme la belle Jane Birkin dans le film *La moutarde me monte au nez* que j'ai loué la semaine dernière.

— Moi... je... appelle Jane, ajoute-t-elle.

Moi... je appelle ma mère à mon secours! dans ma tête bien sûr.

— Moi... je... aller Tadoussac Inn.

Inntérieurement, c'est l'explosion de joie. Quelle extraordinaire coïncidence!

— ÉCOUTEZ, MONSIEUR, C'EST QUAND MÊME PAS DE MA FAUTE SI VOUS N'AVEZ PAS PU VOIR DES CARIBOUS ET SI NOUS AVONS VENDU TOUTES NOS CROTTES DE FROMAGE!

Mon père va faire encore des siennes.

Je panique: «Il ne faut pas que Jane sache que le maniaque aux caribous et aux crottes de fromage, c'est mon père.»

Il n'y a pas trente-six solutions. En vitesse, sans ajouter un mot, je déguerpis. Je rejoins maman dans la Pony. Je lui apprends la bonne nouvelle: «Il n'y a plus de crottes de caribou... euh! de... fromage!» Je suis tout à l'envers. Maman aussi. Je la sens qui se prépare psychologiquement à contrer la nouvelle charge prévisible de son gros caribou d'Henri. Moi, je déchire la carte postale.

J'en prends une autre parmi les quatre que je n'ai pas encore utilisées et j'écris:

BAIE-SAINTE-CATHERINE
CHARLEVOIX, QUÉBEC, CANADA

Lundi 4 août

Salut Julie !

C'est fou comme je
me sens loin.
Le voyage est un
petit peu long.
Il fait soleil. Le
soleil minoute
J'ai hâte de te revoir.
En attendant je compte les
bateaux, les oiseaux... en
vacances.

Alexis, ton ami xxx

JULIE DESCHAMPS

1348, DES TOURELLES

LES SAULES QUÉ

6 1 R 1 K 5

Je replace la carte avec les trois autres. Je me sens drôle. Comme si je venais de commettre une petite infidélité envers Julie. Bien sûr, ma seconde carte n'est pas aussi enflammée que la première... bien sûr, Jane y est pour quelque chose, mais très vite vient à ma mémoire et à ma rescousse — UN CERTAIN MARDI... 26 JUIN, À 14 HEURES 32 MINUTES 22 SECONDES — Julie, elle-même, ne m'a-t-elle pas dit mot pour mot: «On est trop jeunes, Alexis, pour vivre comme nos parents. Tu comprends?»

Je viens de comprendre!

○

Quel bonheur!

L'air pur me ravigote. Le vent du nord me soulève le toupet. Le fjord du Saguenay m'apparaît dans toute sa splendeur. Là, debout sur le pont, appuyé à la rampe, je flotte dans le bien-être comme lorsque je prends un gros bain chaud rempli de mousse. Nous venons de quitter Baie-Sainte-Catherine où la route se termine. Le traversier nous amène vers Tadoussac, sur l'autre côté de la rive. À droite, c'est le fleuve; à gauche, le Saguenay. Nous sommes à l'embouchure! Je m'amuse à penser que l'origine du mot embouchure doit tenir au fait que lorsqu'on arrive à cet endroit, ça nous *en bouche un coin.*

Soudain, une main se pose sur mon épaule. Je suis convaincu qu'il s'agit de ma mère. Et pourtant:

— C'est... *wonderful!* murmure une petite voix douce.

«JANE!»

— Le *Sac-à-nez...* c'est trrrrê bôôô! ajoute-t-elle.

Et comment que le *Sac-à-nez,* c'est trrrê bôôô!... Même la Statue de la Liberté, la Tour Eiffel et celle du CN n'arrivent pas à la cheville du *Sac-à-nez!* Me voilà encore tout bouleversé. Je dois me ressaisir. Et vite!

—Euh...

Je regarde Jane dans les yeux. Je voudrais, là, tout de suite, lui révéler que le bleu de ses yeux m'impressionne autant que le bleu du *Sac-à-nez;* que... que... Je décide de me jeter à l'eau:

—Allô!...

— *Hi!* Alexissss!... Tou es *as cute as* le *Sac-à-nez...*

TRAVERSIER ARMAND-IMBEAU
CHARLEVOIX, QUÉBEC, CANADA

Lundi 4 Août

Salut Julie!

Je me sens loin!

Beau voyage! Le soleil
brille.

À bientôt

Aline Ten ami

Julie DESCHAMPS

1348, DES TOURELLES

LES SAULES QUÉBEC

G1R 1K5

BEDING BEDANG!...
   BEDING BEDANG!...
      BEDING BEDANG!...

La Pony quitte le traversier. J'ai déchiré la 2ᵉ carte postale; je vais plutôt poster celle que je viens d'achever.

— Dis donc Alexis, c'était qui la petite blonde?

— La?... Euh... c'était rien.

Ma mère qui se tourne vers moi, me glisse gentiment avec son sourire qui en dit long (trop long à mon goût):

— Attention aux amours de vacances!

○

En tout cas, pas de danger que je tombe en amour avec le chef cuisinier de l'Hôtel Tadoussac. Sa table d'hôte, ce soir, me donne le goût de faire des blagues, mais pas du tout de manger:

Hôtel "La table"

Entrées

* la tourte aux braillardes
* le biscuit de crevettes et sa mayonnaise au poisson rouge
* les yoyos au pernod

Potages

* la crème de nono
* le potage à la larme à l'œil

Bon

D'accord, j'ai trafiqué le menu. Un peu… pour m'amuser. Je te →
remettre au bon endroit et que tu comprennes à quel point le →
morilles, belle-Hélène, minute, escargot, poivron, fondue →

Pour réintroduire correctement ces mots dans le menu, fie-toi aux →
En tout cas, certainement moins de difficultés que moi à choisir →

Tadoussac

"d'hôte"

Poissons et gibier

* le feuilleté du pêcheur aux gorilles
* le filet de truite saumon sur coulis de caleçons
* la pendule de saumon au poivre rose
* le pintadeau grillé à la fourche

Desserts

* la tarte Tintin
* le parfait granola
* la poire bonne-haleine

Appétit ! *

...donne en vrac les mots que j'ai éliminés pour que tu t'amuses à les ...chef cuisinier s'est creusé les méninges pour compliquer son menu : *l'oignon, cresson, diable, tatin, navet, pleurotes, aux raisins secs.*

...mots qu'ils m'ont inspirés et tu ne devrais pas avoir trop de difficultés.
...mon repas…   *(solution à la page 141)

Et moi qui ai le goût d'un bon sandwich au poulet chaud avec sauce *barbecue*, frites et petits pois verts numéro 2.

— Alexis, me glisse maman à l'oreille,
on est dans un GRAND restaurant ici.

Tout ce que je reconnais de grand à ce
restaurant, c'est sa salle à manger:
immense. Très belle, aussi. Toutefois, sa
GRANDEUR s'arrête là! Un restaurant
incapable de me servir un sandwich au
poulet chaud, personne au monde ne
réussira à me convaincre qu'il s'agit d'un
GRAND restaurant. Même pas maman.

— ALEX...

Mon père s'arrête brusquement;
d'une voix quasi étouffée, il se reprend:

— Alexis, mange pas tout le pain!

Mais, j'ai faim moi. Et mis à part ces
petits-pains-ronds-chauds sur lesquels
le beurre fond comme moi devant J..., je
ne vois rien d'autre au menu à me mettre
sous la dent. Je coupe en deux cette
miche miniature, en replace une moitié
dans le panier et je mange l'autre.

— ALEX... mon père regarde autour de
lui. Alexis, lâche le pain!

Tout en avalant cette douce-moitié-de-
petit-pain-rond-chaud, je me dis que fi-

nalement les GRANDS restaurants n'ont pas que des mauvais côtés: à preuve: mon père ne peut pas me *crier après!*

— *Hi*, Alexisssss!

—Euh... euh... *Hi!*

— *After dinner, do you want to play golf with me?*

—Y... Y... *Yes!*

— *OK! BYE!*

—Euh... *bye, bye...*

Jane quitte la salle à manger; avec sa blouse jaune, sa jupe rouge, ses bas-golf rouge et jaune et ses petits souliers blancs. Elle m'hypnotise! Mes parents, eux, se payent ma tête.

— Ouais... sais-tu Charlotte que notre garçon, c'est un vrai Tom Cruise?

— Je ne sais pas si c'est un vrai Tom Cruise, mais ce que je sais, par exemple, c'est qu'il va améliorer son anglais beaucoup plus rapidement avec cette jeune personne qu'avec Mme Létourneau, son prof d'anglais.

Et patati et patata, les deux s'en donnent à cœur joie. Je voudrais me cacher sous la table. Trop tard! La serveuse prend nos commandes.

— Et pour ce petit monsieur?

— Euh... et d'un seul souffle, je lance: un gros HOT CHICKEN, s'il vous plaît, avec de la sauce **barbecue** et un gros **Seven Up!**

Mon père n'a pas prévu le coup. Il est rouge comme un saumon sur coulis de *caleçon*. Il gigote comme un *yoyo* au pernod. Une vraie tarte *tintin*. Il a l'air d'un parfait *granola*. Les deux oreilles affaissées, on dirait des poires *bonne-haleine*. Heureusement, dans un grand restaurant, ON NE PARLE PAS FORT!

La serveuse partie, papa et maman, à tour de rôle, me font la leçon.

Ah! Les parents! Ce n'est que lorsqu'ils peuvent nous faire rougir, nous mettre mal à l'aise et s'amuser à nos dépens, qu'ils sont capables d'un peu d'humour... nous, les enfants, impossible de leur rendre la monnaie de leur pièce sans qu'on la paie très cher.

○

TOC!...-...-..-...-..-...-..-...-..-...-…PLOC!

Un trou d'un coup! Eh oui! Et cette fois, c'est moi qui en suis l'auteur. D'ailleurs, j'en ai bien besoin. Vois toi-même:

MINI-GOLF HÔTEL TADOUSSAC		
TROUS	JANE	ALEXIS
1 La Marée	2	8
2 L'Ancre	3	5
3 La Côte	1	4
1 Le Goéland	4	7
5 Le Coudrier	3	8
6 Le Varech	2	5
7 La Crevette	4	8
8 La Gourgane	3	5
9 La Baleine	2	7
Total	24	57
10 La Corne de brume	4	7
11 Le Loup de mer	1	4
12 Le Phare	3	5
13 L'Éperlan	2	4
14 Le Traversier	2	1
15 La Goélette		
16 Les Dunes		
17 Le Fjord		
18 Le Quai		
Total :		
Grand total		

Ne ris pas! Je ne parviens tout simplement pas à me concentrer. Je suis énervé. Excité serait plutôt le mot exact. Quel garçon ne le serait pas avec Jane? Elle est vraiment... terrible! Elle prend les commandes. Et pas seulement au golf. Dans tout! C'est génial. Pour la première fois de ma vie, je me sens dragué. C'est super! Et c'est bien moins compliqué...

Le terrain, un *mini putt* sur gazon naturel coupé très ras, se trouve à l'extrémité droite de l'hôtel, dans le prolongement de la magnifique terrasse. Aussitôt après le repas, je m'y étais donc précipité. À portée de vue de Jane, j'avais évidemment ralenti le pas: mes jambes allaient lentement mais, dans ma tête, dans mon cœur, tout battait très vite. Je ne voulais tout de même pas montrer à quel point j'étais anxieux. Nerveux! À mes yeux, aller me promener sur ce minuscule parcours de golf avec Jane équivalait à me balader sur les Plaines d'Abraham à Québec, en calèche sur le mont Royal ou encore en pédalo au Parc Lafontaine! C'est pour te dire à quel point, en vacances, on peut se sentir l'âme romantique.

La partie allait donc bon train depuis plus d'une heure, maintenant; mon apprentissage de l'anglais, lui, allait un peu moins bien: je parlais anglais comme je jouais au golf, TOUT CROCHE! Jane, pour sa part, jouait avec le français comme au golf, soit avec une assurance et une confiance inébranlables. J'avais vite compris qu'avec une telle fille, le découragement m'était interdit malgré l'écart de nos pointages. Voilà pourquoi, à ce 15e trou, je suis si fier de ramasser la balle de mon premier trou d'un coup. Et tu conviendras maintenant avec moi, que j'en avais bien besoin.

Alors que je me place pour tenter l'impossible, un autre trou d'un coup, je reçois un coup au cœur:

— SALUT! LES AMOUREUX!

Eh oui! Venait d'arriver ce dont j'avais le moins besoin: mon père.

— Henri, voyons...

— Ben quoi? Charlotte! réplique papa, prenant maman par la taille. Quand on est amoureux, faut pas avoir honte de le dire tout haut! PAS VRAI LES ENFANTS?

D'ordinaire, les propos de mon père me font rougir de honte; là, ils me font bleuir!

— *You are Canadian?*

«Le voilà qui s'adresse à Jane en anglais!» Je voudrais lui pincer une fesse, lui frotter les oreilles, lui clouer le bec avec un gros ruban adhésif. «Comment croit-il que je vais devenir bilingue s'il prend toute la place?» Pourtant, grâce à mon père, j'apprends, en quelques minutes, plus de détails sur Jane que durant l'heure que je venais de passer en sa compagnie. Entre autres, je réalise que Jane vient d'une ville de la Californie, appelée Santa Barbara. Chaque réponse qu'elle donne à papa suscite chez lui l'étonnement, le ravissement. Il y va même parfois d'un sifflement. Je me demande si papa n'est pas un peu soûl? De toute façon, je n'apprécie pas du tout — MAIS PAS DU TOUT! — ce dialogue, en anglais, qui s'éternise entre lui et ma partenaire de golf. D'ailleurs, je sens que Jane commence à trouver mon père pas mal

Je m'étais fait une fracture à la suite d'une mauvaise chute au Gala des Méritas*.

— Non, Alexis. Ça n'a rien à voir avec l'hôpital.

J'avais respiré mieux. J'avais tellement peur que ma jambe ne soit pas redevenue comme avant. Je redoutais que le médecin me remette un autre plâtre. La présence de Julie me rassurait. Julie, à côté de moi, je ne sais pas comment te l'expliquer, JE SUIS UN BRAVE. Julie, loin de moi, j'ai l'air *cave*, je me sens *cave* et je n'y peux rien même si je sais que c'est *cave*. Bref, j'étais soulagé: Julie viendrait à l'hôpital.

— Alexis, a continué Julie, tu as 13 ans et j'ai 14 ans...

Ces mots m'ont transpercé le cœur comme des poignards. Julie avait dû succomber aux pressions des autres filles: «Une fille de 14 ans avec un garçon de 13, c'est ridicule!» Je restais silencieux. Malheureux.

---

* *Alexis, plonge et compte*, Drame au Gala des Méritas.

Eh oui! Maman conduit, éblouie par le paysage, et papa blague sans arrêt pour cacher sa nervosité depuis que maman a pris le volant. À tout le moins, il ne chante plus; c'est toujours ça de gagné!

Pour ma part, j'ai déjà le cafard: je m'ennuie. Pas de mes frères, oh non! JE M'ENNUIE DE JULIE.

○

Julie, c'est ma grande amie.

Mon amie pour la vie!

En fait, elle était mon grand amour. Ma passion! Jusqu'au jour — UN CERTAIN MARDI... 26 JUIN, À 14 HEURES 32 MINUTES 22 SECONDES — où Julie m'a parlé franchement:

— Euh... c'est pas facile à dire, Alexis...

— Qu- qu-quoi donc?

— Je... je ne voudrais pas te faire de peine.

— Tu... tu ne peux pas m'accompagner à l'hôpital?

Cet après-midi là, je devais aller me faire enlever le plâtre de ma jambe droite.

achalant. À bout de nerfs, je suis. Surtout qu'en anglais, je perds de plus en plus des longs bouts de la conversation.

— Henri, intervient ma mère, si on allait faire une promenade au quai?

Ah! Ma mère! Une vraie bouée de sauvetage!

Sans toutefois répondre à maman, papa se retourne vers moi; tout souriant, avec un petit air complice et rempli de malice, il me lance:

— À ta place, Alexis, je travaillerais ça une petite blonde comme ça: ça te ferait un beau parti, *en titi!* (De toute évidence, papa est soûl!) Ses parents, ti-gars, y viennent de CA-LI-FOR-NIE! Y sont sûrement riches à craquer! Comme dans *Riches et célèbres...*

Et là!

Oh! Bonheur! Oh! Horreur!

— *SIR?* crie Jane alors que papa sursaute.

À peine mon père s'est-il retourné que ma partenaire lui tombe dessus:

— Le... vraie... richesse, c'est... LE CŒUR! VOUS... PAS DE CŒUR! Vous... toujours... penser *money, money,*

money! Vous... pôôôvre! Pôôôvre dans la tête!

Raide comme une barre, les pieds en accent circonflexe, papa a l'air d'un vrai *putter*.

TOC!...¯..¯..¯..¯..¯..¯..¯...¯..¯...¯ PLOC!

«Quel beau coup!» je jubile, dans ma tête, observant Jane qui va ramasser sa balle.

○

Sur le balcon de notre chambre, maman et moi, depuis bientôt une demi-heure, nous admirons le firmament étoilé et le fleuve *aluminiumisé* par une pleine lune magnifique. Aux abords du quai, les réverbères de la marina de Tadoussac font danser sur l'eau des faisceaux lumineux qui rendent féérique ce paysage marin sur fond sonore unique au monde: le ressac de la mer* sur la grève.

---

* À cet endroit du fleuve, les gens de la Côte-Nord appellent le fleuve, mer.

RRRRRRRrrrr... RRRRrrr... RRRRrrr.....

Non, non! Ce bruit n'a rien à voir avec celui de la mer.

RRRRRrrr.....RRRRRrrrr....RRRrrr...

— On dirait que ton père a pris un coup de vieux.

Je reconnais bien là la tolérance, la délicatesse de ma mère. En fait, mon père a pris un coup, un point c'est tout.

Et alors que je rêve d'une promenade sur le quai en compagnie de Jane, maman vient rompre tout le charme:

— Dis donc Alexis, tu as oublié de poster ta carte pour Julie?

— ???...

○

— RRRRrrrrrrrrrr... RRRRrrrrrrrrrr....RRRrrrrrrrrrrr....

— RRR ron-ron-ron! RRR ron-ron-ron! RRR ron-ron-ron!

— RRRRrrrrrrrrrr... RRRRrrrrrrrrrr....RRRrrrrrrrrrrr....

— RRR ron-ron-ron! RRR ron-ron-ron! RRR ron-ron-ron!

Après le brillant spectacle de la veille donné par un duo formidable, le ciel et la mer, me voilà, ce matin, coincé sur le sofa, la tête enfouie sous trois coussins à entendre l'exceptionnelle performance d'un autre duo, celui du père et de la mère qui ronflent maintenant, oh! horreur! à l'unisson:

RRRRrrrrrrrr... RRR ron-ron-ron!... RRRRrrrrrr...

RRR ron-ron-ron!... RRRRrrrrrr... RRR ron-ron-ron!

Mon père et ma mère, sur la même longueur d'ondes. Qui l'aurait cru? Pas moi! Pourtant, je ne rêve pas: ils s'accordent, en ronflant. Je n'arrive plus à me rendormir avec ce 45e tours RRR ron-ron-ron! Le bruit de leur ronflement traverse la pile de coussins que je me suis plaquée sur l'oreille droite; la gauche étant directement posée sur le sofa.

RRRRrrrrrrrr.... RRR ron-ron-ron!... RRRRrrrrrrr.....

Tantôt, j'ai regardé maman ronfler. Aussitôt, à mes yeux, elle aussi a pris un coup de vieux. Ça m'a rendu triste. Malheureux. Je ne sais pas pourquoi

66

mais papa, ça ne me dérange pas qu'il ronfle, mais maman...

RRRRrrrrrr....RRR ron-ron-ron!... RRRRRrrrr......

Il n'est que 6 h 30! Et le duo ne semble pas s'essouffler. Au contraire! Soudain, je réalise qu'il y aura neuf autres petits matins semblables, avec ce genre de réveille-matin à piles humaines rechargeables. Le désespoir vient amplifier les ronflements. Je ne tiendrai pas le coup longtemps, je le sens. Quand, tout à coup, une brillante idée me traverse l'esprit. D'un bond, je me lève. Je me rends à la garde-robe. Je fouille dans une valise, y déniche tout heureux mon baladeur, mes cassettes et je reviens vers mon lit improvisé, le sofa.

— Alexis, tu es réveillé?

— Euh... oui, maman.

Je me sens comme pris en flagrant délit.

— Tu vas écouter ta musique?

— Euh... ouiii.

— Bonne idée!

Je m'en veux! Encore une fois, je m'énervais pour rien. Et, par surcroît, j'avais craint même maman. «Quand vais-je donc réagir avec plus de confiance? Plus d'assurance? COMME J...!»

— Tu sais quoi, Alexis?

— Non, maman.

— Hier soir, j'ai eu la preuve que tu étais bien le fils de ton père.

— ???

— En te couchant, tu t'es mis à ronfler exactement comme lui.

— Moi? ronfler comme...

Tout d'un coup, je me sens VIEUX, VIEUX, VIEUX...

○

Le ciel est bleu. La mer est bleue. Je ne me sens plus vieux.

PCHHHHHHHHHHHHHH!!!......

La coque de la Marie-Clarisse découpe la vague comme la main de *Karaté Kid* fracasse une brique. Nous voguons allègrement vers le large. Vers les baleines. Assis, à l'arrière du voilier, sur une banquette en bois, entre mes parents, je regarde rétrécir peu à peu, au loin, le village de Tadoussac.

RRRRRRRRRRRrrrrrr.....

Non, non: il ne s'agit pas de mon père ou de ma mère qui ronfle. C'est plutôt le doux ronronnement du bateau qui, malheureusement, n'a pas ouvert ses voiles. Avec ses deux mâts fermés, comme maintenant, la Marie-Clarisse me fait penser à un énorme et bel oiseau des mers qui n'ouvre plus ses ailes de peur de trop se fatiguer et de mourir.

Au loin, sous le soleil flamboyant de 16 heures, l'Hôtel Tadoussac, tout blanc, à la toiture rouge (on dirait une dizaine de beaux et grands chalets de bois réunis en un seul) surplombe l'immense terrasse verdoyante avec ses chaises et parasols ainsi que la grande plage de sable qui forme une baie. Quel spectacle! Je suis ébahi. Une seule ombre au tableau: mon père. Il regarde sans voir. Il semble absorbé dans ses pensées. Je sens qu'il mijote quelque chose. À plusieurs reprises depuis ce matin, il a voulu m'adresser la parole. Mais en vain. C'est pourquoi je crains le pire. Le pire étant qu'il me défende de reparler à Jane. Elle est à bord. À bâbord. Nous sommes à tribord. Et je sens papa sur le point d'agir. Pourquoi attend-il? À cause de maman, peut-être. Ce matin, ils se sont parlé. En cachette. Je crois que ma mère lui a fait part de son désaccord. Je sais que maman serait contre le fait qu'il m'interdise de revoir Jane. Voilà, selon moi, pourquoi papa hésite tant à passer aux actes.

— MAUDIT QU'Y FAIT FRETTE!

— Henri, je te l'avais dit aussi de t'habiller plus chaudement. En mer, le vent est toujours plus grand et froid.

Maman offre alors à mon père d'aller lui chercher un café; il y a un restaurant situé dans la cabine. Papa accepte. Aussitôt seuls, tous les deux:

— Euh... Alexis, mon garçon, je voudrais te parler *d'homme à homme.*

Je suis découragé: la dernière fois que j'ai entendu mon père parler *d'homme à homme* à mon frère aîné, ils n'ont discuté que de filles; le dialogue s'étant terminé avec l'interdiction pour Martin de les inviter à la maison durant notre tour de la Gaspésie.

«Foi d'Alexis, il ne m'interdira pas de voir Jane!»

70

— Comme tout le monde... euh... ta mère et moi, on a des moments de grande intimité. De... de tendresse.

— ???

— Tu dois savoir ça? Tu n'es plus un bébé.

— ...

— On... on... on fait ça quelques fois par mois... ou parfois par semaine...

Je remarque une goutte de sueur qui perle sur son front. Une sueur froide, sans doute.

— ... en tout cas, on fait ça au moins UNE FOIS TOUS LES DIX JOURS! Tu comprends?

— ...

— NOTRE TOUR DE LA GASPÉSIE, ALEXIS, IL DURE DIX JOURS!... Tu comprends?

— Vous voulez être seuls.

— Ah!!! (Soupir d'aise de mon père, le visage transformé par un grand sourire.) Eh ben: voilà! Je savais que tu n'étais plus un bébé.

«Le plus bébé des deux n'est pas celui que tu penses, mon cher papa...» Prendre autant de détours! Pour si peu! Et je n'avais encore rien vu.

— Alors, Alexis, si je te lance un clin d'œil, tu sauras à quoi t'en tenir. D'accord?

Un clin d'œil! Bizarres, les parents. Pour compliquer ce qui est simple, ils ont le don. Pourquoi, quand ils auront envie de faire l'amour, ne me demandent-ils pas simplement: «Alexis, nous voulons faire l'amour. Peux-tu nous laisser seuls, s'il te plaît?» Trop simple. Là, tout le reste du voyage, comme une belle tarte, je vais devoir les observer au cas où... De l'enfantillage! NON! Plutôt de l'*adultage*!

— Tiens, Henri!

Maman tend un café brûlant à papa; papa me supplie des yeux d'acquiescer à sa demande d'*homme à homme*. J'hésite. Et si papa me faisait là, maintenant un clin d'œil: je me jette à la mer? je grimpe aux mâts? Je sens papa prêt à craquer; peut-être même à se jeter à la mer. «Il est plus fragile qu'il en a l'air!» nous rappelle souvent maman. Sans plus attendre, je lui fais un clin d'œil. Souriant, mon père prend aussitôt son café.

— Merci, mon amour, dit-il.

Maman reste bouche bée. Tout ce qu'elle parvient à faire: s'asseoir.

Moi, je jubile. Papa n'a rien dit concernant Jane. Peut-être ne l'a-t-il même pas vue embarquer dans la Marie-Clarisse?

— LÀ! LÀ! LÀ! crie brusquement mon père.

— AYOYE!!!

S'étant levé comme un vrai fou, il m'a écrasé le pied droit et renversé du café sur mon anorak. Comme un vrai perdu, il hurle:

— DES BALOUGAS! DES BALOUGAS! DES BALOUGAS! DES BALOU...

— Henri, des **BÉ**LUGAS. DES **BÉ**LUGAS!

Tout le monde se précipite à tribord. Sur notre bord. On entoure mon père qui pointe le doigt vers sa fameuse découverte.

— DES BALOUGAS! DEUX BALOU-GAS! QUATRE!

— AH OUI! JE LES VOIS!

— OHHH! OHHH!

— EXTRAORDINAIRE!

On s'émerveille. Moi, j'essuie le café sur mes vêtements et je secoue mon pied pour soulager la douleur.

— Henri, des **Bé**lugas...

— ILS VIENNENT VERS LE BATEAU!

— ILS SONT ÉNORMES!

— C'EST GÉNIAL!

— ALEXIS, lance mon père. QU'OSSÉ QU'TU FAIS LÀ? VITE! VIENS VOIR LES BALOUGAS!

— Henri, des **Bé**lugas!

Je m'approche du groupe. Je me fais une place en jouant un peu des hanches.

Et là!

Oui: comme tous les autres, j'aperçois ces fameuses baleines blanches qui plongent et glissent sur l'eau, élégantes comme des danseuses de ballet. Une chorégraphie à couper le souffle. Surtout lorsque ma main reçoit dans son creux la main d'une personne du sexe opposé au mien: JANE!

Jamais, je n'oublierai les... BALOU-GAS!

TADOUSSAC — VU DE LA MARINA
CHARLEVOIX, QUÉBEC, CANADA

Julie

Je passe de
belles vacances en
famille.
Salut!

Alexis

mardi 5 Août

Julie DesCHAMPS

1348, des Tourelles

LES SAULES, Qué.

G1R 1K5

○

— Le «5»! lance Jane.

— Le «3», je réplique.

Les mises fusent de partout dans l'immense salle de jeux de l'hôtel. Jane et moi, nous sommes les deux grands finalistes de cette soirée de courses de chevaux. La dernière chevauchée va commencer. L'animateur a repris les cinq dés; il a placé le cheval blanc de Jane sur le tracé «5», et le cheval noir, le mien, sur le «3».

— Rien ne va plus! La barrière est en marche! *There they are!* Les voilà partis!

Les dés roulent sur la grande table.

— Deux «5»! Un «3»!

La foule, entassée autour de la piste cartonnée, s'anime. Chacun a fait son pari; chacun crie pour SON cheval. J'aimerais encourager le cheval de Jane. Mon père ne me le pardonnerait pas. Il ne cesse de hurler pour le cheval noir. Comme s'il avait parié sa chemise et ses bobettes à pois rouges. Les Friend, la famille de Jane, supportent, bien sûr, le cheval blanc; plus discrètement que papa, cependant.

Celui-ci agit comme s'il en allait de l'honneur de la famille. Je suis même mal à l'aise. Il s'enthousiasme au point de convaincre les spectateurs d'appuyer le cheval de SON fils. D'autre part, je vois bien que Jane se fout éperdument de gagner ou de perdre. Elle s'amuse. Depuis le début de cette compétition amicale qui déride les clients de l'hôtel, les dés ne cessent de s'immobiliser sur les numéros qu'elle choisit. C'est ainsi qu'elle a supplanté tous ses adversaires, dont le plus farouche, mon père.

Je ne crie donc pas pour le cheval de Jane.

— Un «5»! Aucun «3»! clame le meneur de jeu.

Oh! Bonheur! La chance semble poursuivre Jane.

Pourtant, quelques minutes plus tard, nos chevaux respectifs se retrouvent nez à nez. À une case du fil d'arrivée! J'espère perdre. Dans les yeux rieurs de

Jane, j'y vois un cheval noir. Le mien! Si ce n'est pas ça le grand amour...

— Deux «5»! Aucun «3»!... LE GAGNANT? *THE WINNER?* LE CHEVAL BLANC —*THE WHITE HORSE* — DE —*OF* — MADEMOISELLE, *MISS* FRRRRRIEND!!!

La famille Friend entoure l'héroïne. Tout le monde la félicite. Puis, on me félicite, tandis que le propriétaire félicite son animateur et se félicite lui-même de cette soirée bien réussie.

Le père de Jane offre une tournée générale; le mien offrirait une fessée générale. Il est déçu. Je n'ai pas été à la hauteur. Encore une fois! Mais, ce soir, loin d'avoir des remords, je suis au septième ciel: Jane est heureuse.

Jane me tient par la taille. Non! Je tiens Jane par la taille. Pour ne pas tomber. Notre beau cheval blanc galope dans les nuages comme un kangourou dans des montagnes de bubble bath. *Ça saute! Je m'agrippe toujours plus fort après Jane. J'aime ça, j'aime ça, j'aime ça. De l'air pur! Le vent et les cheveux de*

Jane me caressent doucement le visage. Ça me chatouille! J'aime ça, j'aime ça, j'aime ça. On a les fesses un peu sonnées. Pas grave! Jane et moi, on aime ça, on aime ça, on aime ça. Nous rions aux éclats. Le «5» gambade dans le ciel. Il nous emporte au septième ciel.

— Alexis...

Soudain tout autour de notre cheval blanc, des dizaines et des dizaines de balougas exécutent des chorégraphies. Ou plutôt un numéro de music-hall: la danse du ventre. Jane et moi, on aime ça, on aime ça, on aime ça. On s'amuse comme des fous!

— Alexis!

Au loin, très loin, un cheval noir. Jamais il ne parviendra à nous devancer. Personne au ciel ne peut stopper notre élan amoureux. Personne au ciel n'empêchera notre beau cheval blanc de gagner la course.

— Alexis! Maudit! réveille!

Brusquement, un étrange concurrent crève l'immense bulle qui l'emprisonnait et se met à notre poursuite. Il *nous rentre dedans. Nous sommes secoués. Bousculés. Je n'aime pas ça, je n'aime pas ça, je n'aime vraiment pas ça. Quel est cet horrible monstre chevalin?*

— AHHHHHHH!!! je m'éveille, horrifié, ayant reconnu la Pony.

— Tchutt! Tchutt! Alexis, tu rêvais.

Je vois le visage de mon père, penché au-dessus de moi.

— Papa!...

— Tu as fait un cauchemar, mon gars. C'est fini. Je suis là...

— Euh... qu... quelle heure il est?

— Huit heures trente.

«8 h 30! Et mon père qui est debout!!!... Il y a anguille sous roche.» que je me dis.

— Tu veux qu'on aille à la pêche aux...

— Non, non, non, Alexis...

Papa se retourne vers le lit. Il semble rassuré: maman somnole toujours.

— Euh...

Et là!

Et là!

PAPA ME FAIT UN CLIN D'ŒIL...

Depuis vingt minutes, assis dans un des immenses fauteuils de la grande salle de séjour, j'attends. NOOONN! Pas que môman et pôpa aient fini de faire l'amour... J'attends Jane. Je dois la voir absolument. C'est ce matin qu'on quitte l'hôtel. Vers midi. Je veux lui donner mon adresse. Je vais lui proposer qu'on s'écrive. Tout le temps. Chaque mois. Chaque semaine. Chaque jour. Jusqu'à ce qu'on se retrouve. Je sens encore sa main dans la mienne. Quelle fille! Quel caractère! Quelle audace! Je n'arrive pas encore à le croire: elle m'a fait la cour, à moi, Alexis. Dommage qu'elle reste si loin. Je vais économiser et à Noël, à Pâques, à... faudrait pas que j'oublie de lui demander la date de son anniversaire... je vais lui téléphoner. D'ici là, je vais travailler mon anglais. Même si je n'aime pas ça! Pour Jane qu'est-ce que je ne ferais pas? Ah! Si papa et maman pouvaient allonger leur moment d'intimité! J'aimerais aller me promener jusqu'au quai avec Jane. Comme deux jeunes amoureux, main dans la main, nous traverserions la terrasse. Nous marcherions sur la plage. Jusqu'à la marina. J'ai tellement de choses à lui dire. Ça prendrait l'éternité. Il ne faut pas que je rêve en couleur: papa n'est pas en grande forme. Au moins une heure! Une toute petite heure. Surtout avec mon anglais boiteux, ça me prendrait bien...

Mon cœur s'arrête de tambouriner d'amour. Deux cymbales viennent de l'aplatir d'un coup sec; deux jeunes amoureux, main dans la main, traversent la terrasse. Ils longent l'allée vers l'hôtel: un beau grand mince aux allures de... Frankenstein, de Dracula, du Joker... ET JANE. Ils viennent droit vers la salle de séjour. Je me recroqueville. Je me sens petit, petit, petit. Complètement ridicule. Et surtout, très malheureux. Ils sont entrés. Ils sont tout près de moi.

— Jean-Philippe... tu es *as cute as* le fleuve *Sainte-Laurence*.

Je voudrais mourir. Heureusement, ils passent sans me voir. Le coup est assez dur comme ça sans qu'ils m'aient...

— Alexis? Alexis? crie le stupide réceptionniste-animateur venant vers moi.

Je n'ai plus le choix: je me déplie. Pour ne pas que Jane voie que je me cachais. Je la regarde. Elle me regarde.

— Oh! fait-elle. *Hi* Alexis! lance-t-elle, avec le même beau sourire, comme si de rien n'était.

Quelle fille! Quel caractère! Quelle audace! Moi, je ne sais plus où j'en suis. Je n'arrive plus à articuler un seul mot.

— Alexis! reprend le réceptionniste, tout énervé et se tenant tout près de moi. Un de tes frères est au téléphone. Il dit que c'est urgent. Il veut parler à ta mère. Dans la chambre, ça sonne occupé. Vite, va chercher ta mère! Vite! Vite!

Comme un zombie, je me lève. Je quitte la salle. Je monte l'escalier. Je longe le corridor. Je stoppe devant le 318. Je pousse la...

— ALEXIS!!!

Le hurlement me fait sortir de ma torpeur. OH! HORREUR! POPA PIS MOMAN EN TRAIN DE... Je referme la porte en catastrophe. OH! MALHEUR! Je suis derrière la porte, MAIS DANS LA CHAMBRE. Je suis perdu. Je veux mourir. Encore une fois! Je rouvre la porte et sors de la chambre plus vite que je m'y suis enfermé. Je m'appuie sur la porte. Je me laisse glisser lentement. Je me retrouve sur le derrière. J'ai les nerfs à terre. Je n'arrive même plus à penser.

— Henri, c'est pas grave...

— C'EST PAS DES AFFAIRES À FAIRE!

À travers la porte, je vois mon père qui enfile son pantalon comme un pompier réveillé par la sirène.

— Henri, c'était à toi de barrer la porte! Alexis pouvait pas savoir...

— IL LE SAVAIT!

À travers la porte, je vois rougir mon père.

— Alexis savait?

La colère joue parfois des mauvais tours à mon père.

— Euh... ben... écoute Charlotte, je...

— Henri!

— J'y avais fait un clin d'œil, bon!

— Qu'est-ce que c'est que cette histoire de clin d'œil?

Et moi pendant que mes parents se chamaillent, toujours sur le plancher des vaches, je murmure sans arrêt, d'une voix d'extra-terrestre:

«Christian/téléphone/maison
Christian/téléphone/maison
Christian/téléphone/maison...»

○

HÔTEL TADOUSSAC
CHARLEVOIX, QUÉBEC, CANADA

Chère Julie,
Le tour de la Gaspésie ce sera
pour une autre fois. Nous rentrons.
Christian s'est disloqué une
épaule.
Le voyage a été bref. Mais j'ai
appris beaucoup. Surtout que
l'amitié « pour la vie » comment tu
dis c'est encore ce qu'il y a
de plus important au monde.
Quand tu recevras cette carte
je serai de retour à la maison.
Depuis 2 jours au moins.
S.V.P. téléphone-moi. Alexis, Ton ami pour la vie xxxxxx

Mardi 5 août

Julie Deschamps

1348, des Tourelles

Les Saules

Qc G1R 1K5

3

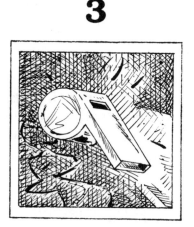

Le parc
(suite)

NEUF HEURES!!!

Oh! Oh! Oh! Je sors Jane, Julie et la Gaspésie de mes pensées. En vitesse, je traverse le boulevard. Mes vêtements sont tellement trempés que la pluie rebondit dessus. En moins d'une, j'atteins le parc. Puis, la boîte à sardines. La boîte à surprises. La cabane. De l'intérieur, j'entends des cris et hurlements. On s'y chamaille.

La vraie pagaille. Aille! Aille! Aille! Je prends un grand respir. Je pousse la porte.

BANG!

— AYOYE!

Une petite brunette à lunettes et à lulus m'a foncé droit dans les jambes. J'ai le genou droit qui me fait mal.

— M'SIEUR! M'SIEUR! ILS VEULENT ME FAIRE MAL!

Je dois déjà jouer au garde-fou.

— Qui ça? je lui demande, frottant ma rotule de la main droite.

— EUX AUTRES. LÀ-BAS! EUX AUTRES, M'SIEUR!

Me servant du doigt de la petite comme mire, je me mets en chasse. En un clin d'œil, mon œil repère dans un coin les durs à cuire.

«AH NON!»

Je suis au bord de la déprime.

Loin de se dissimuler, les deux trouble-fête s'amènent droit sur moi.

«AH NON!» Je répète au bord de l'abîme.

Les lulus se cachent derrière moi.

— ALEXIS!!! Tu parles d'une surprise!

— OUAIS!!! Toute une surprise!

— T'es tellement mouillé, qu'on dirait une *nénette*!

— OUAIS! Tu t'es mis trop de *spray net*, ma chouette!

— Qu'est-ce que tu fais ici?

— OUAIS! As-tu lâché le crayon pour... LES LULUS?

— OUILLE! OUILLE!

Eh oui: LES FAFARD! Ceux-là même qui m'avaient tant agacé à la bibliothèque[*]. Ils avaient failli bousiller ma première rencontre publique d'auteur.

— Laissez-la tranquille!

Je repousse tout de go les deux frères tirant toujours les lulus de la petite.

— Ben quoi: on peut plus s'amuser?

— Ouais! On est en VACANCES!

Les miennes, mes vacances, étaient bel et bien terminées.

TRRRRRRUUUUUUUUUUIITTTTTTT!
TRRRRRRRRUUUUUUUITTTTTTTT!

— LES ENFANTS! LES ENFANTS! UN PEU DE SILENCE! UN PEU DE

---

[*] *Alexis, plonge et compte!*— Les Fafard et Cie! —

SILENCE! crie à tue-tête, Nicole, la responsable, sifflet au bec.

TRRRRRRRRRRUUUUUUITTTTTTT! TRRRRRRUUUUUUITTTTTTTT!

De peine et de misère, la nouvelle directrice du parc parvient à faire diminuer le brouhaha. C'est la première année qu'elle travaille dans un parc. Et comme responsable, par-dessus le marché. «Elle va en voir de toutes les couleurs...» je me dis. Je ne ris pas d'elle. Oh non! Je compatis. Surtout que si elle n'arrive pas à se faire respecter dès le début, c'est fichu autant pour elle que pour nous, pour tout l'été.

— BON! BON! UN PEU DE CALME, lance-t-elle avec un petit sourire, SINON JE VOUS COLLE TOUTE LA JOURNÉE AU BRICOLAGE!

Un silence de mort. Même les Fafard ne rigolent plus.

«Chapeau!» Nicole a visé dans le mille. Elle m'impressionne au plus haut point. Elle s'impose déjà comme une véritable chef. Mais si elle ne fait pas faire de bricolage aux jeunes, que va-t-elle bien pouvoir leur proposer? Nous avons quelques vieux jeux de société. Tous plus *plates* les uns que les autres, nous disent toujours les jeunes. Les jeux de poches? En quelques minutes, les poches pleuvent sur les têtes d'un peu tout le monde. Les chansons? Les plus vieux deviennent hystériques et leurs hurlements font un massacre de la plus belle des mélodies. J'ai bien hâte de voir comment Nicole va s'en sortir avec une centaine de jeunes, une monitrice, un moniteur, un aide-moniteur (moi-même), une salle trop petite, aucun nouvel équipement et, par surcroît, avec les Fafard dans le décor.

— D'abord, je me présente: je suis Nicole Ladouceur.

— La terreur!

— Ouais!

— Qui a dit ça? demande aussitôt la directrice cherchant les coupables.

Deux mains se lèvent.

— Ah! Les frères Fafard, je suppose?

Les deux frères se regardent étonnés.

— Vous êtes connus dans les parcs comme Youppi au stade.

Les Fafard sourient.

Décidément, je trouve très adroite notre responsable qui poursuit:

— On m'a dit que vous aviez plein d'idées, vous deux. Des idées pas comme les autres!

Les deux frères gonflent le torse.

Nicole manœuvre avec brio.

— Alors, vous allez m'aider. C'est vous deux qui allez décider par quelle activité nous allons commencer cette journée!

Les Fafard écarquillent les yeux.

Moi, je ferme les yeux; Nicole vient de baisser dans mon estime. Nous allons droit vers la catastrophe. C'est beau jouer de psychologie mais, avec les frères Fafard, *deux cocos de la sorte*, il faut plus. Beaucoup plus! Il faut savoir faire preuve de COCOLOGIE.

Les deux frères *s'entre-chuchotent.*

Je me sens agrippé.

— M'SIEUR? M'SIEUR?

Je me retourne vers la petite brunette, toujours cachée derrière moi.

— Ils vont me tirer encore les couettes?

— Non, non. Ne t'inquiète pas.

Je la rassure. Quel horrible plan mijotent-ils? Une guerre des étoiles? Je m'attends au pire.

CE FUT PIRE QUE PIRE!

— Notre activité est trouvée!

— Ouais!

— On vous écoute!

Et là!

Les deux farfelus de Fafard se retournent vers moi et lancent à tour de rôle:

— ALEXIS, NOTRE ÉCRIVAIN PRÉ-FÉRÉ VA NOUS RACONTER UNE HISTOIRE!

— OUAIS! UNE AUTRE HISTOIRE DE SA VIE!

— PAS UNE HISTOIRE D'AMOUR, LÀ; UNE HISTOIRE D'HORREUR!

— OUAIS! UNE HISTOIRE À NOUS FAIRE DRESSER LES CHEVEUX SUR LA TÊTE!

J'ai beau protester, Nicole, emballée par l'idée, me somme de m'exécuter.

— Si tu l'as fait dans une bibliothèque, tu peux bien le faire ici, pour nous?

— Euh... oui, mais... une histoire d'horreur... euh... ça peut faire peur aux... aux plus petits...

En tentant ce dernier argument, je me tourne vers la petite à lunettes et à lulus pour obtenir un certain appui.

— OH! OUI, M'SIEUR! UNE BELLE HISTOIRE... AVEC DES MONSTRES, LÀ!

— ??? Avec des...

Et Nicole de renchérir:

— ALEXIS! ON T'ÉCOUTE!

Et quand la *boss* parle...

4

Terreur au lac Noir

La ville. Le pont. L'autoroute. Les banlieues. La grand-route. L'autobus file à fière allure. Moi, je file un mauvais coton. J'ai 12 ans. Pour la première fois de ma vie, je vais coucher seul à l'extérieur de la maison. Pas vraiment seul! Avec la gang du parc. Une nuit. Une nuit entière. Dans un camp de vacances. Quelles vacances! Des vacances forcées...

— Al! Change de banc!

Al, c'est moi: Al... exis. Le gros Doucet et ses amis m'appellent ainsi. Quand ils sont de bonne humeur. Dans le cas contraire, ils préfèrent «p'tit cul», «épas» ou carrément «niaiseux».

— Envoye, grouille!

Doucet et Ladouceur attendent dans l'allée. J'étais si bien seul. Trop bien... J'ai envie de leur répondre «C'est MON banc!» Ce serait MA mort... Sans rechigner, je m'éclipse en douce. Où m'asseoir? C'est la foire un peu partout dans l'autobus. Et je n'ai pas le cœur à la fête. Je n'aime pas l'inconnu. Or, je suis bel et bien embarqué dans l'autobus du mystère. Qu'est-ce que c'est que ce camp de vacances? Où couche-t-on? Y a-t-il des adultes pour surveiller? On est réveillé par qui? Une grosse cloche à vache? Peut-on se brosser les dents? Se couche-t-on entassés les uns sur les autres? par terre? dans une tente? ou les uns par-dessus les autres dans des lits superposés qui montent, qui montent, qui montent jusqu'aux étoiles???

— Coucou?... Alexis! Coucou?

J'arrête de fabuler. Je reviens sur terre.

— Par ici.

Je reconnais la voix de Mireille. Mais où est-elle?

— Coucou?

La frimousse de Mireille jaillit dans l'allée, à l'arrière, comme une marionnette sur le rebord d'un rideau de théâtre. Elle me sourit. Elle disparaît aussitôt. Je fonce. L'autobus amorce un virage. Je bascule vers ma gauche.

— AYOYE! MAUDIT NIAISEUX!

J'ai beau m'excuser, Letarte, les orteils en compote, n'arrête pas de m'engueuler. J'essaie de retrouver mon équilibre. C'est difficile: l'autobus vire de plus belle. Letarte me repousse. Il n'aime pas qu'on lui pile sur les pieds. Je le comprends. Il me lance tous les noms de la terre. Noms qu'aucun jeune de la terre ne voudrait porter, bien sûr. Il me rejette dans l'allée. Au fond, je suis bien content. Pas de retrouver mon équilibre. Non! De lui avoir rougi les orteils. Depuis le début de l'été il n'a pas arrêté de me donner des coups de pied sur les chevilles au soccer, de me lancer le ballon sur la tête au ballon canadien; bref il fait partie des durs à cuire du parc.

J'atteins le banc de Mireille. Elle a deux places pour elle seule. Deux bonnes places, au milieu de l'autobus.

— Comment t'as fait?

— Moi? Je n'ai rien fait, me dit-elle.

Ses yeux pétillent comme du *cream soda*. Elle pointe du doigt un gros sac de papier brun qui trône sur le siège libre. Je regarde. Je ne comprends pas. Soudain le sac se tortille. Je bondis vers l'arrière.

— Qu'est-ce que c'est ça?

Mireille hausse les paupières: «À toi de trouver, mon beau!», voilà ce que disent ses yeux.

Et là!

Je pense perdre connaissance quand je me rappelle que, depuis le début des vacances, elle nous charrie avec son histoire de python.

○

Le python sur les genoux, je jette un sourire complice à Mireille. Je bouge les genoux légèrement, le sac brun se met à gigoter. De leur banc, Doucet et Ladouceur m'observent. Ils ont l'air intrigué. Amusé. Mais celui qui s'amuse le plus, c'est bien moi. Mireille m'a raconté que ces deux garnements ont eu la même idée que moi en voyant bouger le sac; aussitôt, ils ont laissé tomber leur plan d'expulser Mireille. Ils n'ont pas osé toucher au sac comme le leur a proposé Mireille bien décidée à ne pas bouger de son banc. Les deux compères ont vu le sac se trémousser, ont pensé au python, ont fait semblant de ne pas avoir peur et ont décidé d'un commun accord qu'il y avait un meilleur siège ailleurs: le mien! Là, ils voudraient savoir s'il y a bien un python dans le sac. Tous les deux, tout comme moi et comme tout le monde, connaissent le côté excentrique de Mireille. Un python dans son sac, c'est aussi possible qu'une O'Henry dans le mien. Or, il n'y a pas plus d'O'Henry que de python dans nos sacs. Mais Doucet et Ladouceur ne le sauront pas!

— Regarde-les comme ils sont embêtés, me lance Mireille. Qui est nono? Toi? Ou eux? Voilà ce qu'ils se demandent.

Heureux de les avoir à ma merci, je tiens mordicus à prolonger leur supplice le plus longtemps possible.

— Mais, dis donc Mireille, qu'est-ce que tu as mis dans ce sac pour faire croire qu'il y a un serpent. De l'eau dans un sac de caoutchouc? Du jello?

Je ris tout haut et j'ajoute:

— Parce qu'on dirait vraiment que...

Et là!

Et là!

HAAAAAaaaaa!!!!!!!

○

Entre voyager avec un python ou avec Mireille, je choisirais le python... au moins il n'est pas venimeux, lui!

— Voyons, Alexis, ce n'est qu'une toute petite couleuvre, qu'une toute petite blague.

Moi, j'ai failli mourir. Je suis la risée de tous. Comment pouvais-je imaginer que cette tête aux yeux verts qui m'avait défié d'un regard *vlimeux* n'était qu'une COU-LEUVRE? Mireille aura beau s'excuser, me supplier à genoux, jamais je ne lui pardonnerai cet horrible tour.

Tout le reste du voyage, enroulé sur moi-même, tout au creux du dernier banc, je subis les sarcasmes de tous et chacun:

— Alexis, pèse sur le *piton*!

— Pauvre p'tite *pitoune*!

— Alexis! Tu devrais t'abonner à CROC.

— C'est une SARPENT de bonne idée, ça!

— Alexis SIFFLE-nous donc un p'tit air?

— Ouais! Un petit solo pour LALANCETTE!

— HA! HA! HA!

— HO! HO! HO!

— HI! HI! HI!

«Rira bien qui rira le dernier!»... que je me dis.

○

Pour le moment, je chante. Je n'ai pas le choix: Roland, le responsable des

12 ans et plus, nous surveille dans l'allée.

— Hélène! As-tu serré ta langue dans ta poche? CHANTE!... Yannick! Arrête de pleurnicher pour des niaiseries. C'est pas en Sibérie qu'on t'emmène! CHANTE!

Le grand Roland se prend pour un général d'armée. Il est grand. Très grand. Mince. Très mince. Sa minceur a même atteint son cerveau. Parce qu'il est moniteur, il se croit tout permis. Le nombril du monde. Il fait peur à tout le monde. Surtout aux plus jeunes. Sophie, la responsable des moins de 12 ans, le laisse faire. Je crois qu'elle aussi, elle en a peur. Ladouceur et Cie se sont faits amis avec lui, dès le début de l'été. Sur cinquante jeunes environ, ils sont six à avoir du plaisir au parc; les autres, ON A TOUS PEUR! Sauf, peut-être, Mireille. Mais, celle-là...

— AL! Oublie ton python, cornichon. PIS CHANTE PLUS FORT!

Je suis piqué au vif. Je suis coincé comme un oiseau en cage. Je dois chanter. Mais bientôt — très bientôt — je ne sais pas comment — mais je sens que

je ne ramperai plus devant le grand
Roland. Pour le moment pourtant, j'élève
la voix et je chante avec le reste de la
chorale ambulante:

♪ ♪ Conducteur-E!
Conducteur-E!
Pesez donc su'l'gaz!
Pesez donc su'l'gaz!
accel. a tempo Ça marche pas!
Ça marche pas!

Cette chanson démodée est sûrement
la seule que la petite mémoire du grand
Roland est capable d'enregistrer...

○

L'autobus bondit et rebondit sur
le chemin de terre. Le grand Roland
s'est assis. Enfin! Un moment de répit.
Nos voix sont remplacées par les
ressorts qui dansent le *twist*, les
fenêtres la claquette et nos bagages
la danse des canards. J'ai l'impression
de faire de l'équitation tellement ça

saute. Et les bancs? Les coussins sont durs comme de la roche! Les parents devraient aller travailler en autobus scolaire, ils réaliseraient à quel point c'est dur... d'aller à l'école. En tout cas, en ce moment, après dix minutes de route cahotique, je me sens l'arrière-train comme si je venais de descendre l'Everest sur les fesses. Tant et si bien que j'ai même hâte d'arriver au lac Noir, où se situe le camp de vacances.

— J'peux-tu m'asseoir?

— Euh... oui.

Yannick titube. Puis, il réussit à grimper sur mon banc. Il est tout petit. C'est sûrement le plus jeune du groupe. Neuf ans? Pas plus, certain.

— En avant, ils sont fous.

«Ah! Pour être fous, ils sont fous!» que je pense. Les pieds de Yannick ne touchent pas le sol. Je n'arrive pas à comprendre comment ses parents ont pu le laisser partir avec tous ces fous! Il a l'air si fragile. À ses côtés, je me sens comme un grand frère.

— Tu sais, Alexis, c'est la première fois que je couche pas dans ma maison, avec ma mère, me confie Yannick, la voix tremblotante.

Je m'apprête à lui rétorquer qu'il en va de même pour moi, lorsque je sens sa main serrer la mienne très fort. Je ne dis rien. Même pas une parole rassurante: ma voix me trahirait. Il saurait tout de suite que j'ai aussi peur que lui. Je ferme la main. À ses côtés, je me sens maintenant comme son père. Je sais que c'est fou, mais c'est ainsi. Tellement que, peu à peu, ma main, froide au début, commence à réchauffer celle de Yannick. Puis, dans ma tête, mes craintes s'envolent une par une. Je n'y comprends rien. Mais je laisse faire. Je me sens tellement mieux. Et finalement, sans aucun trémolo dans la voix, je lance à Yannick, tout étonné moi-même:

— T'as pas à t'inquiéter, je suis là!... ET Y'A PAS MEILLEUR QUE MOI POUR FAIRE DU RODÉO! YOU-HOUOUOU!!!

○

Maintenant, je sais où on couche:

DANS UN GRAND POULAILLER!

En descendant de l'autobus, immédiatement nous nous sommes dirigés vers le dortoir. Un mot bien savant pour l'espèce de grande grange, avec un plancher de béton et des fenêtres en broche à poule, dans laquelle on nous a fait entrer. Je n'arrivais pas à croire que nous allions coucher dans ce poulailler, sur des grandes palettes de vieux grille-pains géants que le grand Roland appelle «sommiers». Avec mon sac de couchage dans les bras, je reste figé devant un de ces lits. Je suis estomaqué. Mais ma surprise n'est rien en regard de l'apeurement que je décèle dans les yeux de Yannick.

— Bande de poules mouillées! Arrêtez de brailler! crie le grand Roland, les baguettes en l'air. Un camp de vacances, c'est pas le Ritz Carlton! Vous êtes ici pour apprendre à vivre dans la NATURE! PAS DANS LE LUXE! Prenez-vous un lit! Mettez-y vos affaires et DEHORS! VOUS AVEZ TRENTE SECONDES!

— Où sont les toilettes? demande Mireille, la *vlimeuse.*

— DEHORS! rugit le grand Roland.

Et c'était vrai!!!

○

Le soleil plombe. Les vaches sont à l'ombre et nous sur leur terrain. Elles nous regardent jouer au base-ball; elles ont l'air étonnées. Il y a de quoi: on cuit comme des petits poulets!

La sueur me dégouline dans le dos. Je n'ai pas froid aux yeux: «Qu'il me la lance sa balle, le grand Roland, je vais la *canonner*!» Le bâton bien haut, les coudes bien hauts, je m'attends à un lancer bien haut. Le dernier était à ras le sol. J'ai *swingné*... dans le beurre! Ça les a bien fait rire. Surtout le gros Doucet, au premier but et le grand Roland, le lanceur. C'est le début de la partie. Un sept manches. Letarte, le chef de mon équipe m'a désigné comme premier frappeur. Je n'ai toujours pas compris pourquoi. Je suis loin d'être le plus doué. En fait, j'ai un peu peur de la balle, je dois l'avouer. On ne sait jamais... Surtout quand cette balle est projetée par une tête de linotte comme le grand Roland. De toute façon, je suis là et, malgré ma peur bleue, je vais tout tenter pour toucher la balle parce que c'est le grand Roland qui me nargue et que Letarte n'attend que mon retrait sur trois prises pour me tomber dessus. Je ne vois aucune autre raison qui l'ait motivé à me faire frapper le premier.

Je m'attends à une balle rapide. La préférée du grand Roland. Je m'enfonce solidement les deux pieds dans l'herbe. Je sors un peu les fesses, me penche légèrement au-dessus de la poche qui nous sert de marbre, j'étends le bâton et je fixe la main droite du grand Roland. Letarte, notre instructeur au premier but, crie à tue-tête toutes sortes d'imbécillités du genre: «Mets ton nez sur la balle, Alexis!», «Arrête de te tortiller... ON DIRAIT UN PYTHON AU BATTE!», «Alexis, Y'A RIEN QUI LA BATTE!»; ce qui fait rire aux larmes le gros Doucet, le premier but. Moi, je continue de me concentrer. Je vais leur montrer de... quel *batte*... je me chauffe.

La balle part. Oh! Surprise! Oh! Bonheur! Je la vois grosse, grosse, grosse. Un vrai pamplemousse. Je n'ai aucune difficulté à suivre sa trajectoire. Je n'en crois pas mes yeux. JE M'ÉLANCE de tout mon cœur. Ce qui risque d'être plus efficace que de tout mon corps, ne pesant que 42 kg.

Et là!

La balle, durement frappée, roule vers la poche qui sert de 3e but; je ne regarde même pas ce que fait le 3e but, je fonce tout de go vers la 1re poche. Je n'ai jamais couru aussi vite de ma vie. J'aperçois le gros Doucet, un pied sur la poche qui crie comme un fou en direction de la 3e poche: «ENVOYE-LA!»

«Oups! Ça va être plus serré que je le pensais!» que je me dis, redoublant d'ardeur.

— *SLYE! SLYE!* hurle Letarte, comme un fou.

Tout aussi fou que lui, même si le sol est dur comme de la roche, je plonge les deux pieds vers l'avant et je glisse...

— HA! HA! HA! HO! HO! HO! HI! HI! HI!

— HO! HO! HO! HI! HI! HI! HA! HA! HA!

— HI! HI! HI! HA! HA! HA! HO! HO! HO!

C'est la débandade! L'euphorie!

Je suis sain et sauf à la 1re poche...
MAIS LES PIEDS ET LES JAMBES
BIEN ENFONCÉS, SOUS LA POCHE,
DANS UNE IMMENSE BOUSE DE
VACHE.

Un coup bien frappé!

Un coup bien monté!

Je quitte ma poche, les yeux en
larmes. Que veux-tu, il n'est pas donné à
tout le monde d'être un dur à cuire...

○

Je m'ennuie de la maison. De maman.
De mes frères. Même de papa. Le lac Noir
est un peu plus noir: je m'y lave. J'enlève
mon *jean*; je mouille les bas de jambe et je
les frotte ensemble. Ça sent vraiment
pas bon. «Ah non! Ça r'vole jusque sur
mes bobettes.» Un coup d'œil autour. Je
les enlève et les lave vite, vite, vite. Je ne

veux pas qu'une bébite me pique... tu sais où? (NON! PAS LE BOUT DU NEZ! TU ES TRÈS DRÔLE.)

— Coucou?

«AH NON! PAS...»

Je sens mes joues s'enflammer. (Imagine les fesses...) Moi qui rougis à rien. Plus vite que mon ombre, je remets mes bobettes. J'aurais préféré être à la merci d'une bébite qu'à celle de Mireille. «Ah! La p'tite *vlimeuse*!»

— Alexis?

Je ne me retourne pas. Évidemment! Je m'apprête à enfiler une jambe dans mon pantalon quand un O.V.N.I. atterrit sur ma tête. Un *jean*!

— J'en avais apporté un de rechange. Il devrait te faire.

Je me retourne. Seulement la tête!

—Euh...

Comment elle, si *vlimeuse* tantôt, peut-elle poser un geste si gentil qui me va droit au cœur? Je ne sais trop comment lui dire toute ma reconnaissance. Je cherche les mots quand elle me lance, une main voilant son œil droit et l'œil gauche bien ouvert:

— Mais c'est d'valeur de cacher les plus belles p'tites fesses au monde que j'ai jamais vues!

Mireille éclate de rire.

Je cherche mon souffle tandis que Mireille prend ses jambes à son cou et s'éloigne du lac.

○

Je me sens bien. Le *jean* me va comme un gant... à deux doigts. Même que je me sentirais très bien dans ce camp de vacances si ce n'était le grand Roland et toutes ces activités auxquelles IL FAUT participer, sous peine d'être traité de *lâcheux*, de paresseux, de *moumoune*, et j'en passe. C'est vrai: tout est vieux ici. Le dortoir. La salle à manger. Les toilettes. Mais tout autour, c'est magnifique. Le paysage est splendide. La forêt de gros conifères trace un demi-cercle derrière nous et, en face, c'est le lac Noir. Puis, il y a plein d'oiseaux; ça chante de tous les côtés. J'ai reconnu le chant des tourterelles. On les appelle des tourterelles

tristes. Pourtant, moi, quand j'entends leur roucoulement, je ne me sens pas triste, j'ai le cœur à la douceur, à me laisser bercer par de beaux rêves... comme lorsque je suis dans la piscine étendu au soleil sur un pneumatique. MAIS FAUT TOUJOURS UN ÉNERGU-MÈNE POUR RENVERSER LE PNEU-MATIQUE!

— Al, Doucet, Lebeau et Ladouceur... À VOS MARQUES!

Aujourd'hui, l'énergumène, c'est le grand Roland. Il ne nous lâche pas une minute. Au lieu de profiter de la nature, des oiseaux, cet oiseau de malheur-là nous fait suer à grosses gouttes avec ses «olympiques».

POW!!!

C'est parti, mon kiki! Foi d'Alexis, je ne gagnerai peut-être pas, mais je vais toujours bien leur faire peur. Je fonce déjà comme un bolide vers la ligne d'arrivée. Un 100 mètres! Un sprint. Faut donner le maximum dès le départ, 80 mètres: Lebeau tire déjà de la patte. Pas surprenant, tantôt il a mangé une grosse *palette* de chocolat, un gros *chips barbecue* avec une grosse orangeade. Il a

de gros problèmes!... 60 mètres: je suis nez à nez avec Ladouceur et Doucet... 40 mètres: je suis «éton-nez» d'être toujours nez à nez avec mes deux rivaux. Sur le côté de la piste, j'entends Yannick et ses amis qui m'encouragent. Ne pas ralentir: je ne comprends plus rien, je suis plusieurs nez en avant. D'habitude... L'heure n'est pas à la réflexion mais À L'ACTION. Je pousse à fond, soutenu par Yannick, ses amis et maintenant Mireille dont je reconnais la voix entre toutes et qui hurle: «*Go! Go!* Les p'tites fesses! *Go! Go!*»... 10 mètres! 5 mètres! 1 mètre! À moins d'une chute, je suis vainqueur.

Et là!

Oh! Surprise! Non, non, non et non: rien ne m'arrête, rien ne me tombe sur la tête, aucun animal ne sort des buissons pour *m'enfarger*, aucune crampe ne vient stopper ma foulée à l'emporte-pièce: JE GAGNE LA MÉDAILLE D'OR! Mauvais perdants, Doucet et Ladouceur disent que j'ai sûrement pris des stéroïdes anabolisants. Mais rien à faire, c'est moi le héros! Tous ceux et celles qui, comme moi, en ont ras le bol du grand

Roland et des durs à cuire du parc, me portent aux nues. Et comme si ma victoire avait l'effet d'un boomerang, tout au long des compétitions au grand désespoir de notre grand général, ses gros protégés se font battre coup sur coup au saut en hauteur, en longueur, aux courses de 500 et de 1000 mètres.

C'est l'euphorie! La revanche des plus petits, des plus faibles, des plus timides.

— Sur le podium: Al, Yannick et Mireille! lance le grand Roland. Nous allons décerner les trois médailles d'or.

Nos supporteurs et supporteuses hurlent leur joie. Le grand Roland a des médailles dans les mains. En compagnie de Yannick et de Mireille, je m'avance vers les trois podiums. Comme aux vrais Jeux olympiques.

— Al, sur le podium central, s'il vous plaît!

J'ai le cœur qui me débat. Le podium du centre est très élevé. Beaucoup plus, en tout cas, qu'aux vrais Jeux olympiques. Même que je me demande comment le grand Roland va pouvoir me passer la médaille au cou? Les podiums de côté sont couverts d'un

117

tapis vert; celui du centre, d'un énorme tapis rouge qui tombe jusqu'à terre. «C'est ce qui s'appelle grimper sur un piédestal!» que je me dis. J'ai le cœur tout à l'envers quand le gros Doucet et Ladouceur s'avancent pour m'aider à grimper tout en haut du podium, d'un seul bond.

Il y a quelque chose qui cloche? Mais avant que la cloche me sonne la bonne réponse dans ma tête, poussé par Doucet et Ladouceur, j'atterris sur le podium et

SPLASHHH!!!

Le tapis rouge a cédé. Le podium n'avait pas de plancher. Je me retrouve dans un baril rempli d'eau qui était dissimulé sous le beau tapis rouge. Maintenant, au fond du baril, je suis à la hauteur du grand Roland qui, crampé en quatre, comme tous les autres de sa *gang*, me passe la médaille au cou.

Un autre coup bien monté!

«Comment j'ai pu être assez nouille pour...»

Cette fois, je ne fais pas que brailler; je ne fais pas que rougir... JE VOIS ROUGE! Je m'accroche au baril et saute sur le grand Roland pour l'étriper. De ses longs bras, il me retient loin de lui. Mes coups de bras et de pieds passent dans le vide. Je n'ai que 12 ans; il en a 18.

— WOOH! WOOH! WOOH! Les nerfs, Al! Les nerfs!

J'ai la rage au cœur. Je ne vois plus rien autour de moi. Je suis déchaîné. Les larmes me brûlent les yeux. Je continue de frapper. Frapper dans le vide! Mais au moins, je me vide le cœur.

— Voyons, voyons, Alexis, faut savoir rire de soi dans vie! ricane le grand général que je n'arrive toujours pas à rejoindre.

Je suis trempé et BLESSÉ jusqu'à l'os.

— ARRÊTE! MAUDIT, tu vas toute me mouiller, rage le grand Roland.

Et là!...

Oh bonheur!

Une mer d'eau atterrit sur Roland. Mireille avec la complicité de Yannick, vient de renverser le baril d'eau dans notre direction. Roland me lâche aussitôt. Tout trempé, il recule:

— AH! MA P'TITE...

Tout le monde se met à rire. Même les durs à cuire ne peuvent s'en empêcher. Roland vient de perdre la face, il a l'air furieux. Fou furieux. Je n'ose plus bouger. Je suis impressionné. Pas Mireille! Elle va même jusqu'à défier le regard menaçant du grand *feluette* de général et elle lui lance, d'une voix moqueuse:

— Voyons, voyons, Roland, faut savoir rire de soi dans vie!...

○

Les feux brûlent.

Le torchon brûle.

Tout le monde se tient sur ses gardes en mangeant des guimauves grillées, roussies et souvent calcinées, sous un ciel tapissé d'étoiles. On dirait que chaque étincelle qui se détache du feu virevolte dans le ciel et va s'accrocher au firmament; il y en a partout, partout, partout. C'est hallucinant.

— Tu crois à ça, toi, Alexis?

— À quoi?

Je sais à quoi fait allusion Yannick, dont la guimauve est en train de se carboniser au bout de la branche. Mais, je ne veux pas lui montrer que moi aussi je pense à la même chose.

— Ben... au... au monstre?

— Le monstre? je rétorque, en riant. Laisse-moi rire!

À l'intérieur, je ris jaune.

Depuis le souper, plein de rumeurs circulent. Le vieux cuisinier qui a l'air d'un sorcier, nous a servi un dessert très spécial: il nous a raconté la légende du lac Noir. J'aurais préféré une tarte au sucre. Même un jello à la limette, à la limite. C'est qu'il est convaincant, ce vieillard! Au point que je me suis mis à douter de son très bon spaghetti avec sa sauce aux fines herbes: si c'était un vrai sorcier? un chef cuisinier sorcier qui prépare des potions magiques avant la nuit? avant l'apparition du monstre du lac Noir?

— C'est la... la pleine lune? me demande Yannick, resserrant sa couverture autour de son corps.

De toute évidence, le chef cuisinier avait ébranlé Yannick autant que moi.

— Oui, je réponds, c'est la pleine lune. C'est beau?

— On... on est quelle date? rajoute Yannick.

La date? Je n'en sais rien. En vacances, je ne m'en soucie jamais. J'approche mon bras du feu et je regarde ma montre: **VENDREDI 13!!** Mon regard s'embrouille. Mes pensées également.

— Yannick, intervient Mireille, la bouche pleine de guimauves, arrête de t'inquiéter avec l'histoire du monstre. C'est encore une autre invention de Roland. Y'a pas plus de monstre dans le lac Noir qu'y'avait de python dans mon sac brun.

Et là-dessus, Mireille me fait un clin d'œil. Je lui souris, pensant que j'aimerais donc ça avoir sa belle assurance et faire d'aussi belles guimauves toutes dorées. Je retire la mienne en proie aux flammes.

HOUOUOUOUOUOUOUouououou!!!!

HOUOUOUOUOUOUouououou!!!

— Qu'est-ce que c'est? marmonne Yannick, les yeux clignotant comme des lumières d'urgence.

«En tout cas, c'est pas un python!», que je me dis, tout bas.

Autour du feu, des dizaines de regards inquiets se croisent.

— C'est rien qu'une chouette! s'amuse Mireille. Y'a pas de quoi flatter une chouette! EUH! Chouetter une flatte! Euh! FOUETTER UN CHAT!

Oh! Horreur! Quel lapsus! Mireille vient de se trahir: elle non plus n'est pas aussi rassurée qu'elle voulait bien le laisser paraître jusque-là.

— Et si c'était la chouette qui donne le signal au monstre du lac Noir de sortir de son lit de vase où il dort le jour?

Arrivé à l'improviste, dans notre dos, le gros Doucet avait fait bondir de peur les plus jeunes... et pour dire vrai, même les moins jeunes, comme moi! Il avait pris une voix caverneuse. Le cave! De quoi faire frissonner d'horreur n'importe qui.

HOUOUOUOUOUOuououoou!!!

— Pas de panique, les jeunes! Pas de panique!

Ladouceur venait de rejoindre son grand ami Doucet.

— Le cuisinier vient de me dire qu'il a déjà vu le monstre se promener par ici, les soirs de pleine lune. Mais, jamais il n'a attaqué personne. Du moins pas encore!

— Arrêtez vos niaiseries! Ça suffit!

Sophie, la monitrice des moins de 12 ans, s'interpose enfin.

— Si c'est un autre tour de Roland, je le trouve pas drôle du tout!

— Roland? réplique aussitôt Ladouceur. Mais, ma pauvre Sophie, après le souper il est retourné en ville!

— QUOI???

— Il en avait soupé d'une *gang* d'indisciplinés comme vous tous!

Sophie bondit sur ses pieds.

— Tout le monde au lit! Je vais aller voir ce qui se passe.

HOUOUOUOUOUOuououou!!!!!!

124

Et là!

Oh! Horreur!

— Regardez! Regardez! Tout le monde crie, en pointant le lac.

Le lac Noir, dans un recoin, a commencé à s'illuminer. Comme si la lumière provenait de ses profondeurs. Et la légende racontée par le vieux cuisinier en nous servant un pouding dégueulasse au riz, voulait que, par une belle soirée étoilée, le monstre émerge du lac pour se regénérer à même l'énergie lunaire. Selon des témoins, lors de la construction de la colonie de vacances, un vieux bonhomme qui vivait seul dans le bois, s'en était pris au travail des ouvriers. Il démolissait la nuit ce qu'ils faisaient le jour. Irrité, le propriétaire de cette belle partie de forêt, y compris le lac, décidait d'engager des gardiens de nuit. Rusé comme un renard, avec l'aide des animaux de la forêt, le vieux bonhomme avait fait en sorte que personne n'accepte plus de surveiller la colonie la nuit. Une semaine avait suffi. Même un ours avait couru après les gardes. Et pas n'importe quel ours! Un ours qui obéissait à une voix qui résonnait dans la nuit, la voix rauque du vieux bonhomme. Une autre nuit, une volée de chauves-souris avait attaqué les deux gardiens jusqu'à ce qu'ils quittent la colonie, complètement horrifiés. Et après, toujours cette voix mystérieuse... Devant cet échec, le propriétaire avait joué le tout pour le tout: il avait entouré tout le domaine d'une clôture électrifiée. Et cette nuit-là, lui-même avait attendu. Vers minuit, un cri horrible l'avait fait bondir hors du chantier de travail. Et là, droit devant lui, s'élançant vers le lac, un épouvantail humain tenait un énorme fusil de chasse tout illuminé auquel il semblait rivé et duquel il ne parvenait pas à se départir. Il s'enfonçait dans l'eau en hurlant sa détresse. Il avait été sans doute électrocuté. La clôture devait provoquer un choc; mais pas mortel. Du moins, c'était la version du concepteur de cette barrière ultramoderne, ultra-secrète à l'époque, puisqu'il y avait bien 50 ans de cela. L'entrée du vieux bonhomme dans le lac avait fait vibrer sur l'eau une lumière éclatante. Avec les cris de l'homme électrocuté, la scène était insoutenable. Et le propriétaire n'avait

126

pas vu réapparaître le mystérieux personnage bien qu'il ait attendu plus de quarante minutes sur la plage, apeuré et complètement chaviré. Il était finalement sorti de sa torpeur et avait passé le reste de la nuit à faire disparaître toute trace de la clôture. Il avait gagné la partie, finit-il par se convaincre, tentant d'oublier le reste. Il y parvint jusqu'au jour où des vacanciers, quelques mois plus tard, lui racontèrent des faits bizarres: le lac, s'illuminait la nuit, une voix rauque, mystérieuse, provenant du fond du lac proférait des paroles incompréhensibles, des volées de chauves-souris s'abattaient sur le lac, etc. Le propriétaire vendit la colonie et disparut dans la nature. MAIS PAS LE VIEUX BONHOMME... LE MONSTRE DU LAC NOIR. Et le cuisinier l'avait vu, DE SES YEUX VU!

— TOUT LE MONDE À L'INTÉRIEUR! répète Sophie.

Cette fois, son appel est entendu. Nous nous précipitons tous vers le dortoir. Même Doucet, Letarte, Ladouceur et Cie! Ils ont l'air moins braves que tantôt. Ce qui n'aide pas à nous rassurer. Sophie court vers le bâtiment central pour obtenir de l'aide.

— J'ai peur, Alexis.

La panique s'installe.

— N'aie pas peur, Yannick: je suis là.

Dans le dortoir, tous entassés près des fenêtres dont plusieurs carreaux ne sont que de la broche à poule, nous fixons le lac.

— Regardez! Regardez! lance Letarte. À gauche!

— Où? Où? crie tout le monde.

— Au bout du quai! hurle Ladouceur.

— Y'a quelqu'un! Y'a quelqu'un! Je le vois! renchérit Ladouceur.

OH! HORREUR!

Ce n'était pas une blague!

Un cri d'angoisse s'élève. Le monstre est bien là. Lentement il émerge de l'eau. IL TIENT UN ÉNORME FUSIL DE CHASSE DANS SES MAINS. On dirait, on dirait, on dirait: FREDDY! OU JASON! OU FRANKENSTEIN! Chacun y va de son monstre favori. Mais là: c'est pas sur vidéo! C'est dans l'eau que ça se passe! À 100 mètres à peine de nous.

— IL EST CARBONISÉ!

— IL EST HORRIBLE!

— HAHAHA!

— SOPHIE?!

— ROLAND?!

— PAPA?!

— MAMAN?!

— FERMEZ-LA! bougonne Ladouceur qui, intelligemment pour une fois, rajoute: arrêtez de crier, vous allez l'énerver.

— Qu'est-ce que fait Sophie?

— Oui: où elle est Sophie?

— Laissez faire Sophie... intervient Letarte coupant la parole aux plus jeunes et prenant la situation en main, à son tour. On se couche tous dans nos lits. Pas un geste! Pas un bruit! D'après ce que nous a dit le cuisinier, le monstre n'a jamais tué personne.

— Du moins, pas encore... lance le cave à Doucet.

— Il a disparu!

— Oui: on ne le voit plus!

— On se sauve?

Plusieurs sont déjà dans leur lit, la couverture par-dessus la tête; d'autres, encore à la fenêtre, sont toujours sous le choc, incapables de réagir. On entend des sanglots d'un peu partout.

— Où voulez-vous vous sauver? Vous allez tomber dessus! ALLEZ VOUS COUCHER!

Le conseil de Letarte est finalement suivi par tout le monde. On pourrait entendre une mouche voler. Pour ma part, j'espère que l'idée de Letarte de faire le mort est la bonne. Mon lit est placé juste devant la porte.

— Je veux rester avec toi!

Yannick, glacé d'effroi, se faufile sous la couverture et se colle sur moi. Je sors ma tête. Il me semble avoir entendu un... HORREUR! Dans la vitre, le bout du fusil qui passe de droite à gauche. Le monstre se dirige vers l'entrée. Je regarde la porte. HORREUR! La planche qui barrait cette vieille porte de grange a été enlevée. Elle était pourtant là, il y a une seconde. Vif comme l'éclair, je saute du lit et je m'élance vers ce vieux cadenas de bois des années 30.

— Alexis! Non, non! me crie Doucet.

J'agrippe la planche et la soulève pour la mettre dans ses amarres, afin de coincer la porte...

— Alexis! Non, non! hurle Letarte.

La porte grince.

«Trop tard!» Je ne peux plus la barrer. C'est la catastrophe! Le massacre. «Qui a bien pu enlever cette planche?», je rage, dans ma tête.

La porte s'ouvre. Un bout de fusil, un bout de chapeau. Un bout de bras, un bout de pied...

UN BON COUP DE PLANCHE SUR LE CHAPEAU!!!

— NONNNN ALEX...

Et bang! Le monstre sur le carreau!

Depuis quand un monstre s'écrase-t-il comme une poche au premier coup de planche? Quel drôle de film d'horreur nous vivons?

— MAUDIT NIAISEUX! rage le gros Doucet, bondissant de son lit.

— MA PAROLE! TU L'AS TUÉ! fustige Letarte, rejoignant Doucet.

Dans la pénombre, je vois des petits yeux qui ne savent pas s'ils doivent briller de joie ou d'horreur; ils sont inquiets. Et moi donc! Pourquoi Doucet, Letarte et Cie me crient-ils après? Après tout, j'ai assommé le...

— ÉPAIS D'ALEXIS: C'EST ROLAND!

— ???

Un autre coup bien monté.
UN COUP BIEN MÉRITÉ.

Il a gagné ses épaulettes
Maluron, malurette!
Il a gagné ses épaulettes
Maluron, maluré!

— POUR ALEXIS! hurle Sophie. HIP-HIP-???

— HOOOOOUUUURRRRRRRRRA!
répondent tous mes amis.

L'autobus brasse de partout. La joie est à son comble. Assis entre Mireille et Yannick, je rougis. Je n'ai pas l'habitude d'être le Héros. Mais je préfère de beaucoup le H au Z, si tu vois ce que je veux dire? Mais je ne m'enfle pas la tête. Pas autant, en tout cas, que le grand Roland, assis en arrière avec sa *gang*, la tête enrubannée dans un immense bandage, le visage rempli de bleus, de mauves, de rouges cramoisis. On dirait un vrai monstre...

132

○

— AYOYE! Tu me fais mal, papa!

— Alexis, arrête de te plaindre. On dirait un bébé. Brailler pour une écharde, voyons! Veux-tu bien me dire où c'est que tu t'es fait ça?

— En prenant une planche.

— Tu pilais de la planche?

— Non. J'ai assommé le fatigant de Roland avec.

Mon père arrête de jouer de l'aiguille; il me regarde un moment et il part à rire à gorge déployée.

— Est bonne!... est... est... ben bonne, mon gars!

Papa ne m'a pas pris au sérieux, encore une fois.

Mais Roland, lui...

AAAYOOOOYE!!!!

Le parc
(suite)

Je suis en nage.

«Est-ce que Nicole, ma *boss*, a trouvé ça bon? Et les Fafard? Et les «lulus»? Et les autres? Personne ne parle. Ça y est: je les ai tous endormis.»

Je me sens comme si j'avais une planche au-dessus de ma tête. Le coup va être dur.

Un bruit: deux mains qui claquent.

«Une *claque* de pitié», que je me dis.

Puis deux autres mains. Quatre mains, dans le même coin. Oh! Surprise; les deux Fafard! Puis, six, dix, seize, vingt. Je rougis. À 16 ans, cela fait drôle. Mais je n'y peux rien. Je suis comme ça. La *claque* se généralise dans la cabane. Même Nicole applaudit à tout rompre. Je ne sais plus quoi dire? Quoi faire? Comment me tenir? «Ah! Si papa était ici, peut-être qu'il me laisserait écrire mon troisième roman durant l'été.» Je crois bien que je m'enfle un peu la tête; tout le monde tape encore des mains ET J'AIME ÇA! J'AIME ÇA! J'AIME ÇA!

— Alexis, clame la monitrice en chef tandis que les applaudissements diminuent progressivement, Alexis, si tu écris aussi bien que tu racontes, je vais faire partie de ton *fan-club*.

Je suis aux oiseaux. De telles paroles me vont droit au cœur.

— J'espère, Alexis, que tu vas nous en raconter d'autres au cours de l'été?

Je plane de joie.

— La prochaine fois, par exemple, une histoire de fesses!

— Ouais! Racontée par «Les plus belles p'tites fesses au monde», ça va être bon en titi.

Rire général. Je tombe de mon piédestal. Je me sens mal, mal, mal...

«Ah! Ces Fafard...»

Tout le reste de la journée, je marche... les fesses serrées... et le plus loin possible des deux *cocos* de Fafard.

○

— Puis? Alexis, ta première journée au parc, ça s'est bien passé?

Mon père lit son journal au salon. Il sirote une bière. Il a l'air bizarre. Un petit quelque chose d'inhabituel dans son regard. «Évidemment, je me dis, il est fier. Il a encore gagné la bataille: JE VAIS TRAVAILLER TOUT L'ÉTÉ AU PARC.» Comme s'il lisait dans mes pensées, mon père n'attend même pas ma réponse et il ajoute:

— Un jour, tu me remercieras de t'avoir fait travailler COMME TOUT LE MONDE!

«Ah non! Il ne va pas recommencer. Tous les parents sont pareils: **un jour, tu me remercieras**...»

Fâché, je quitte le salon.

— Tiens, se moque Christian habillé comme une carte de mode et sortant de la maison, le bébé gâté est arrivé.

— Tu t'en vas au Club *Playboy*, je suppose? que je lui rétorque aussitôt.

— Oui. Et tu écriras l'histoire de toutes mes aventures, genre *Lance et compte*. Là, tu vas devenir célèbre. Là, tu vas pouvoir écrire tout l'été... Ciao!

J'aurais voulu lui lancer quelque chose par la tête; mais voilà, il était parti avant que je n'atteigne le seul objet à ma portée, la carafe d'eau. Heureusement: il s'agit d'un pot qui appartenait au père de mon père...

— Salut écrivain! me nargue Michel, mon frère aîné, faisant apparition dans la cuisine. Je vous salue bien bas.

Après une révérence, très irrévérencieuse, à son tour il quitte la maison.

«Mais qu'est-ce qu'ils ont tous?» J'ai l'impression que ma famille entière se ligue contre moi. Contre mon projet le plus cher: devenir écrivain. Un écrivain reconnu. Mondialement! Devenir la fierté de cette *pauvre* et *misérable* famille aux visées très terre-à-terre et...

— Bonjour Alexis!

— Ah! Maman...

Et là, comble de l'horreur:

— Comment va mon auteur préféré?

La boucane me sort par les oreilles.

Ma mère qui a toujours eu le nez fin, me calme aussitôt.

— Plutôt que de dire des choses que tu regretterais, va donc réfléchir un peu dans ta chambre!

Je ne comprends plus rien à rien. La mort dans l'âme, je monte dans ma chambre.

Et là!

     Et là!

          Et là!

Sur mon bureau que vois-je?

UN ORDINATEUR!!!

○

— Alexis, tu vas pouvoir travailler COMME TOUS LES ÉCRIVAINS: sur un ordi.

— Merci pa...

Voilà que je me mets à brailler. À 16 ans, cela fait drôle. Mais je n'y peux rien. Je suis comme ça.

Alors que je crains de me faire traiter encore de bébé par mon père, tout ce que j'entends c'est «Sniff! Sniff!». **On braille ensemble.** Quelle joie!

140

Solution des pages 54 et 55

— Entrées
La tourte aux *pleurottes*
Le biscuit de crevettes et sa mayonnaise
   au *poivron* rouge
Les *escargots* au pernod

— Potages
La crème de *navet*
Le potage *fondue d'oignon*

— Poissons et gibier
Le feuilleté du pêcheur aux *morilles*
Le filet de truite saumonée sur coulis de
   cresson
La *minute* de saumon au poivre rose
Le pintadeau grillé à la *diable*

— Desserts
La tarte *tatin*
Le parfait aux *raisins secs*
La poire *Belle-Hélène*

BON APPÉTIT!